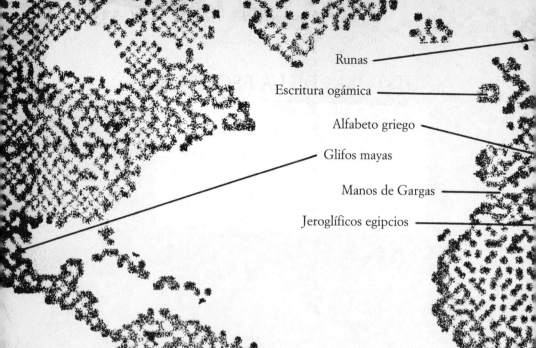

Runas

Escritura ogámica

Alfabeto griego

Glifos mayas

Manos de Gargas

Jeroglíficos egipcios

Primera escritura cuneiforme
(hacia 1500 a.C.)

Alfabeto ugarítico
(hacia 1400 a.C.)

Escrituras chinas

Alfabeto coreano
(1443 d.C.)

PAIDÓS ORÍGENES

LOUIS-JEAN CALVET

HISTORIA
DE LA ESCRITURA

De Mesopotamia hasta nuestros días

PAIDÓS

Barcelona
Buenos Aires
México

Título original: *Histoire de l'écriture*
Publicado en francés, en 1996, por Plon, París

Traducción de Javier Palacio Tauste

Cubierta de Joan Batallé

Obra publicada con ayuda del
Ministerio Francés de Cultura–Centre National du Livre

© 1996 Librairie Plon
© 2001 de la traducción, Javier Palacio Tauste
© 2001 de todas las ediciones en castellano,
Ediciones Paidós Ibérica, S.A.,
Mariano Cubí, 92 - 08021 Barcelona
y Editorial Paidós, SAICF,
Defensa, 599 - Buenos Aires
http://www.paidos.com

ISBN: 84-493-1066-0
Depósito legal: B-21.362/2001

Impreso en A&M Gràfic, S.L.,
08130 Sta. Perpètua de Mogoda (Barcelona)

Impreso en España - Printed in Spain

Sumario

Introducción

En lo que se refiere a la extensa historia de la humanidad, raros son los cambios repentinos: los grandes descubrimientos son habitualmente producto de una lenta maduración, y la escritura supone quizás el mejor ejemplo de ello. Desde los primeros pictógrafos que en épocas diferentes dieron sus trazos iniciales a la escritura cuneiforme o a los caracteres chinos hasta los alfabetos elaborados en tiempos posteriores transcurren más de cinco mil años, cinco mil años de fascinante historia, testimonio de una creatividad humana, y a veces también de una capacidad para el bricolaje, capaz de aportar distintas soluciones al mismo problema: el de cómo recordar, transcribir y transmitir esa palabra que es, por su misma esencia, fugaz. En tales soluciones, conocidas por los nombres de jeroglíficos egipcios, alfabetos, glifos mayas o caracteres chinos, no se perciben demasiados puntos en común, si bien todas juntas configuran cierta historia, la historia de la lenta elaboración de la memoria escrita de los hombres.

Antes de pasar a relatar esta historia, es preferible revisar algunas de las ideas más aceptadas sobre la escritura, proponiendo al mismo tiempo cierto marco teórico en el cual el presente libro situará las relaciones entre esa palabra que tiende a su desvanecimiento y los grafismos utilizados con el fin de retenerla.

La escritura viene a ser, dentro de nuestras sociedades occidentales, algo que se da por descontado y sobre lo que no cabe ni preguntarse: la lengua es considerada bajo dos formas, la oral y la escrita, y eso basta. Simplemente, el sentido común ha desarrollado por su cuenta cierto número de ideas aceptadas de las cuales un proverbio latino, citado a menudo, *Verba volant, scripta manent*, da perfecto testimonio. Si, en efecto, consideramos cierto este clásico adagio, «Las palabras vuelan», lo que significa que la comunicación oral está sometida a la fugacidad, se deduce de aquí la principal misión confiada a la escritura: conservar la palabra, puesto que «la escritura permanece». La escritura estaría por lo tanto subordinada a la palabra, teniendo por función darle habla al locutor ausente, prolongando su mensaje más allá del eco físico de los sonidos por él pronunciados...

De esta idea provienen otros dos asertos en relación con la escritura: por una parte, que la palabra habría tomado carta de naturaleza antes que la escritura (ya que ésta tiene por función establecerse como sustituta de la otra, compensando así su fugacidad) y, por otra, que la escritura debe poseer carácter fonético, puesto que se configura a manera de transcripción de la palabra, es decir, de los sonidos. Para el sentido común, por lo tanto, la escritura se encuentra ligada a la lengua, descendiendo de ella, de esa falta constitutiva que la caracteriza (la fugacidad), y completándola, cosa que ofrece la posibilidad, entonces, de que una parte de la humanidad se pueda convertir en juez de la otra: si la escritura es el complemento de la lengua, existiría, por lo tanto, una serie de lenguas incompletas, precisamente aquellas que no disponen de escritura. Semejante concepción aparece con claridad en expresiones tales como «campaña de alfabetización» o en el mismo término «analfabetismo»: la palabra «analfabeto» sugiere para el sentido común mucho más de lo que etimológicamente significa (alguien que no conoce el alfabeto, que no sabe leer ni escribir), equivaliendo a que determinados individuos son imbéciles, mientras que «campaña de alfabetización» supone algo más que la mera enseñanza del alfabeto, perfilándose más bien como una especie de campaña de educación de las masas...

Entre otros, Jean-Jacques Rousseau ilustra perfectamente tal toma ideológica de partido. Ciertamente, él sería el introductor de una brutal distinción entre las «tres maneras de escribir»:

—«La que describe no tanto los sonidos como las ideas» (pensando aquí en los jeroglíficos egipcios y en los glifos aztecas);

—«La que hace representar las palabras y las proposiciones por medio de caracteres convencionales» (en este caso se trataba de la escritura china);

—la que compone las palabras por medio de un alfabeto.

Y estas tres «maneras de escribir» eran las que, según él, convenían a otros tantos momentos históricos, estadios de una evolución producida en tres tiempos:

> Estas tres maneras de escribir responden con bastante exactitud a tres estados diferentes bajo los cuales se pueden considerar las naciones constituidas por los hombres. El dibujo de los objetos corresponde a los pueblos salvajes; los signos de las palabras y de las proposiciones a los pueblos bárbaros; y el alfabeto a los pueblos civilizados.[1]

Los aztecas, por lo tanto, si hemos de creer a Rousseau, fueron un atajo de salvajes y los chinos unos bárbaros, pudiendo calificarse como civilizados sólo a aquellos pueblos poseedores de alfabeto... Dos siglos después, nuestro contemporáneo Claude Lévi-Strauss nos sirve involuntariamente otra variante de esta visión cuando nos relata cierta anécdota que no deja de parecernos de lo más significativa. Al ocupar su cátedra de «Religiones de los pueblos no civilizados» éste se dio cuenta de que el rótulo no era demasiado adecuado tras mantener a nivel teórico diversas discusiones con algunos alumnos originarios de dichos pueblos. «¡No se podría decir de aquella gente que venía a tratar con usted en la Sorbona que eran "no civilizados"! Lévi-Strauss cambió por lo tanto el título del seminario, denominándolo entonces "Religiones de los pueblos que no cuentan con escritura".»[2] Aunque no se debe poner en entredicho la buena fe o la buena voluntad del etnólogo, no puede dejar de llamar nuestra atención la utilización de los términos «no civilizados» y «sin escritura» para referirse al mismo contenido...

Rousseau no ha sido, como se ve, el único en equipararlos, sino que otros científicos más próximos en el tiempo han formulado algunas proposiciones que a duras penas se alejan de esta visión racista:

1. Jean-Jacques Rousseau, *Essay sur l'origine des langues*, reed. de 1817, pág. 508 (trad. cast.: *Ensayo sobre el origen de las lenguas*, Madrid, Akal, 1980).

2. Claude Lévi-Strauss, Didier Eribon, *De près et de loin*, París, Odile Jacob, págs. 81-82 (trad. cast.: *De cerca y de lejos*, Madrid, Alianza, 1990).

La escritura es el procedimiento del que actualmente cabe servirse con tal de inmovilizar y fijar el lenguaje articulado, fugitivo por su misma esencia.

James Février ha añadido algo más:

El hombre primitivo no parte del concepto para llegar a la palabra hablada y posteriormente a la palabra escrita; no está interesado en manifestar su pensamiento por medio del nombrar ni en representar el nombre por medio de la escritura. Lo que pretende (y con ello se contenta) es: *vivere primum*.[3]

El pensamiento-el nombre-la escritura: tenemos aquí una sucesión «lógica» que sería característica de la civilización, mientras que el hombre primitivo no ha conocido la escritura. Parece que no se acaba nunca de erradicar del todo esta serie de ideas establecidas, conducentes en no pocas ocasiones a respaldar ciertas formas de racismo que han ayudado a consolidar la superioridad de nuestro Occidente. Pero antes de pasar a otro tema, resulta necesario denunciar que, por culpa del efecto perverso de determinadas formas de cientifismo, hay una serie de lingüistas cuyas obras han servido para apuntalar esta concepción. Al subrayar, justamente, que la descripción de la lengua ni puede ni debe apoyarse en otra cosa que no sea su forma oral (no correspondiendo a la escritura, precisamente, más que la mera transcripción) esos estudiosos han reforzado el dictado del sentido común, insistiendo en la subordinación de lo escrito a lo oral. Sería trabajo inútil, también aquí, acumular cita sobre cita, simplemente basta con recordar como ejemplo de tal falsedad las palabras del fundador de la lingüística moderna, Ferdinand de Saussure, cuyo tono se puede encontrar aún en numerosas obras contemporáneas: «Lengua y escritura son dos sistemas distintos de signos; la única razón de ser del segundo consiste en representar al primero».[4]

Con múltiples variantes a menudo escasas, casi todos los lingüistas han adoptado similares puntos de vista con relación a la escritura. Lo que caracteriza esa mirada es también lo que constituye la característica misma de la lingüística moderna, desarrollada a partir de la fonología: la lingüística aporta a la escritura un punto de vista fonológico. Según eso, la «mejor» escritura para los lingüistas, y con esto quiero decir

---

3. James Février, *Histoire de l'écriture*, París, Payot, 1984, pág. 9.
4. Ferdinand de Saussure, *Cours de linguistique générale*, París, Payot, pág. 45 (trad. cast.: *Curso de lingüística general*, Madrid, Alianza, 1998).

la que a ellos les plantea menos problemas, es la escritura alfabética, que presenta el mismo carácter lineal que la lengua y similar articulación entre las unidades (si se admite que la letra remite al fonema* y la palabra al morfema* o al monema*...). Pero ello no prueba en absoluto que la escritura naciera de la voluntad de dotar de transcripción a la lengua, sino sólo, tal como observaremos un poco más tarde, que esa cualidad cercana a lo pictórico que comporta la escritura ha ido progresivamente quedando sometida a la gestualidad representada por la lengua.

En cuanto a las tentativas de clasificación de los distintos sistemas de escritura, lo menos que se puede decir es que han sido múltiples. Con posterioridad a la tipología propuesta por Rousseau, dividida en tres apartados y que como hemos visto sancionaba la diferencia convirtiéndola en inferioridad, podemos citar algunas otras, como la de Saussure y la de Gelb. La tipología elaborada por Saussure es de carácter binario. Según ésta, sólo existen dos sistemas de escritura:

1. El sistema ideográfico, por el cual la palabra es representada por medio de un único signo, diferente a los sonidos de los cuales se compone (...).

2. El sistema comúnmente llamado «fonético», que intenta reproducir la cadencia de los sonidos que se suceden en la palabra.[5]

Por lo que, como se ve, la escritura es de nuevo definida por relación a la lengua.

La tipología de Gelb, caracterizada principalmente por su sesgo historicista, distingue entre cuatro tipos de escrituras:

—sistemas logográficos, en los que los signos transcriben las palabras;
—sistemas logo-silábicos, que emplean signos logográficos y signos silábicos;
—escrituras silábicas, en las cuales los signos transcriben las sílabas de la lengua;
—escrituras alfabéticas, cuyos signos transcriben los fonemas de la lengua.[6]

---

* Los términos seguidos de asterisco pueden ser consultados en el glosario, en las últimas páginas del libro.
5. *Ibid.*, pág. 47.
6. Véase I.-J. Gelb, *Pour une théorie de l'écriture*, París, Flammarion, 1973 (primera edición, en inglés, de 1952).

Según Gelb, estos cuatro tipos constituirían otros tantos estadios evolutivos, recuperando así aquella mirada teleológica de Rousseau que convertía el alfabeto en punto de llegada de cierto proceso de perfeccionamiento de la escritura. Esta idea habitual de que la escritura se encuentra subordinada a la lengua y de que su forma ideal sería el alfabeto queda ilustrada perfectamente por Diego de Landa, el cura franciscano español que en 1560 escribiera una *Relación de las cosas de Yucatán*,[7] documento de excepcional importancia acerca de los mayas en el siglo XVI. En el capítulo XLI de ese libro, titulado «Siglo de los Mayas. Escritura de ellos», se nos transcribe un «alfabeto maya»:

Lo malo del caso es que los mayas no disponían en realidad de ningún tipo de alfabeto y que lo que nos ofrece Landa supone un extraordinario ejemplo de invención científica, de artefacto, por así llamarlo, si bien cabe decir en su favor que tal artefacto ha desempeñado finalmente su papel, nada despreciable por cierto, en el reciente desciframiento de la escritura maya. Sin duda alguna, el sacerdote no escatimó esfuerzos al interrogar con suma atención a los indios, insistiendo largamente para que le informaran sobre la manera en que «escribían ellos la a, la b, la c, etc.», transcribiéndole éstos por último aquellos jeroglíficos cuya pronunciación resultaba más cercana a esos sonidos. De este modo, si tomamos las tres primeras letras del «alfabeto» de Landa podremos observar:

7. Fray Diego de Landa, *Relación de las cosas de Yucatán*, manuscrito redescubierto en el siglo XIX y cuya primera edición (1864) es francesa (trad. cast.: *Relación de las cosas de Yucatán*, Madrid, Historia 16, 1992).

que a lo que se pronuncia /ac/ le corresponde una «cabeza de tortuga»,
A

 que a lo que efectivamente se pronuncia /be/ le corresponde la
B idea de «viaje» (un pie caminando),

 que lo que se pronuncia /sek/ es uno de los meses del calendario
C (de hecho una parte de su jeroglífico).

Ac, *be* y *sek* para a, b y c; Landa intentó a cualquier precio encontrar alfabetos allí donde no existían... Más adelante podremos comprobar que el sistema gráfico maya resulta al mismo tiempo muy distinto del sistema alfabético y, también, mucho más complejo que éste. Pero, no obstante, aunque anecdótico, el presente caso resulta rico en enseñanzas, sugiriéndonos como mínimo las siguientes tres observaciones:

1) En su «alfabeto», Landa nos indica sólo los sonidos españoles, ignorando por completo los /ch/, /ch'/, /tz/ o /dz'/, tan frecuentes en la lengua de los mayas... es decir, que parece absolutamente convencido de la hipótesis según la cual existiría cierto sistema universal de sonidos (el del español), y que los diferentes sistemas alfabéticos deben corresponder a estos sonidos, a ellos y a ningunos otros distintos. En otras palabras, que en ningún momento se le pasa por la cabeza preguntarse cuáles podrían ser los sonidos reales de la lengua maya: para él no son, y no pueden ser ningunos otros, más que los sonidos propios del idioma español, en virtud de lo cual sólo se puede preguntar con la mayor naturalidad del mundo de qué manera los mayas transcriben los sonidos habituales del español. El imperialismo cultural aparece aquí, pues, en su variante fonética.

2) No nos informa tampoco sobre sistema alguno de notación alfabética de la lengua maya, sino que tan sólo nos indica la notación aproximada, ofrecida eso sí con la mejor voluntad por un indio, de los extraños sonidos (a, be, ce) emitidos por un cura franciscano, del cual seguramente ese indio debía de pensar que pronunciaba bastante mal la lengua maya... En el plano metodológico, Landa ha operado a la inversa, buscando reflejos de su propia cultura en el otro. Y como sugiere Roy Harris, este alfabeto resulta revelador de «la profunda incomprensión que los muchos siglos de cultura alfabética han aportado sobre la naturaleza de la escritura».[8]

8. Roy Harris, *The Origin of Writing*, Londres, Duckwoth, 1968, pág. 45.

3) Y es que, y esto es lo que más debe importarnos aquí, Landa no parece ser capaz de imaginar que se pueda escribir de otras maneras al margen de un alfabeto. Si los glifos mayas son una escritura, ésta no puede ser más que alfabética.

Lo anterior nos demuestra que existe una serie de ideas firmemente establecidas con relación a la escritura, ideas que proceden de la convergencia de dos tendencias:

—principalmente la del sentido común, siendo incapaz éste de separar la escritura de la lengua y, por eso mismo también, incapaz de pensar el problema de la escritura de ninguna otra manera que no sea en términos de sucesión y subordinación;
—y luego la del discurso lingüístico que, al contrario que la tendencia precedente, pretende separar limpiamente la escritura de la lengua para acentuar lo mejor posible los límites de su objeto de estudio (el lenguaje hablado), aunque no sin dejar de proyectar sobre la escritura cierta concepción fonológica que le lleva a establecer clasificaciones binarias superficiales (oposición, por ejemplo, entre las escrituras fonológicas y las otras...). El resultado de tal visión (la escritura subordinada a la lengua) hace que, cuando a menudo surge la interrogación sobre el origen del lenguaje, cuando se pregunta en qué momento, cómo y por qué el hombre comenzó a hablar, nunca se planteen cuestiones similares para el caso de la escritura. El sentido común, en parte ayudado por la ciencia, supone aquí un freno al progreso de la propia ciencia. De esta forma, la especulación judeocristiana nos ha transmitido en virtud del conocido mito de la Torre de Babel una propuesta sobre los orígenes del plurilingüismo, pero no contamos con ninguna versión comparable sobre el origen de las escrituras: se da por supuesto que, una vez que se configuraron las lenguas, las escrituras surgieron por añadidura, y así aquellas que no cuentan con transcripción son, repitámoslo una vez más, consideradas inacabadas, incompletas.

De semejante visión, según la cual la escritura habría sido inventada con el fin de transcribir la lengua, nos ofrecen inmejorable testimonio las fábulas originarias, que merecerían importantes trabajos de inventario y clasificación de sus tipologías. Por tanto, aquí nos contentaremos únicamente con citar algunas de ellas. Los sumerios atribuían el invento de la escritura al rey de Uruk Enmerkar, quien en determinado momento habría tenido necesidad de mantener correspondencia con el señor de cierta población irania, Aratta. Jean-Marie Durand afirma que esta leyenda «comporta al menos una parte de verdad, por lo menos a un nivel simbólico, al citar juntos en el mismo relato los dos "lugares" en Oriente Próximo donde se ha descubierto la existencia de escritura».[9] Para los aztecas, por su parte, el creador sería el dios del viento Quetzalcóatl, la «serpiente emplumada», a la vez inventor del arte y de la escritura. Para los mayas fue el dios del tiempo Itzamna quien habría entregado a los hombres este invento.[10] Los egipcios, por otro lado, creían que la escritura era debida a Toth, el dios de las artes y protector de los escribas. Para los chinos, según el célebre *Shuo wen jie zi* de Jiu Chen, obra publicada durante el primer siglo de nuestra era, fue Chang Ji, enviado de Huang Di (el «dios amarillo»), quien en el siglo XXVI a.C., tras observar las huellas dejadas por los pájaros y otros animales, tuvo la inspiración de utilizarlas para distinguir entre las diferentes cosas, inventando de esta manera la escritura (la escritura china, por supuesto).

En todos estos casos se percibe una especie de negación de lo histórico, obliterándose el lento proceso de aparición de la escritura y considerando que ésta no procede del ingenio de los hombres, sino, en todo caso, de un regalo de los dioses llegado de manera repentina. La escritura se contempla así como algo perfectamente cerrado y concluso desde el instante de su nacimiento: la escritura es un regalo de los dioses y no posee historia, es decir, que ella no ha conocido formas embrionarias, aproximativas, no pudiendo ser otorgada a los hombres (y a la lengua) más que en su forma perfecta y definitiva de instrumento de transcripción.

LO PICTÓRICO Y LO GESTUAL

Vamos a intentar aportar aquí un punto de vista diferente situando primero la escritura no tanto con relación a la lengua como a otros dos grandes modelos de expresión que el ser humano parece haber conocido desde sus orígenes: lo pictórico y lo gestual. Y es que el hombre ha utilizado y sigue sirviéndose todavía de múltiples medios de expresión (por supuesto, de la palabra, pero también del gesto, la danza, las señales de

9. Jean-Marie Durand, *Naissance de l'écriture*, París, Réunion des musées nationaux, 1982, pág. 100.
10. César Macazaga Ordono, *Diccionario de Antropología Mesoamericana*, 2 t., México, Innovación, 1984.

humo, el lenguaje de los tambores, los pictogramas, los tatuajes, las pinturas parietales prehistóricas, el maquillaje, las formas de vestir, etc.) que pueden englobarse dentro de dos grandes grupos: el de la gestualidad, que comprende aquellos sistemas por definición fugaces, y el de lo pictórico, compuesto por aquellos otros sistemas con cierta capacidad de perduración, de resistencia al tiempo o capaces de salvar el espacio. Es decir, que lo pictórico está vinculado a una función particular, incorporado a la función de expresión o de comunicación (y pudiendo en ocasiones elevarse por encima de ellas): *asegurar la conservación o la perennidad del mensaje*. Lo gestual tiene sentido en el aquí y el ahora, en el instante, y lo pictórico encuentra su sentido en lo relativo a la distancia o a la duración, puesto que deja alguna *huella*.

Lo pictórico supone una forma, forma susceptible de encarnarse en ciertos objetos usuales semantizados (éste sería por ejemplo el caso de las semillas de la planta de cola que, dentro de algunas culturas africanas, sirven para acompañar una petición de matrimonio) o en determinadas creaciones gráficas *ad hoc*. Se trata de un amplio campo semiótico *cuyos signos pueden ser nombrados* por la lengua, *no importando de hecho por qué tipo de lengua*: lo pictórico es el producto de la cultura, de la sociedad, del mismo modo que la lengua, si bien no mantienen originariamente ninguna relación de necesidad.

Veamos un ejemplo proveniente de África,[11] el del siguiente signo dogón que representa «la gran osa»:

Los cuatro círculos y las dos líneas representan las seis estrellas de la constelación, equivaliendo también los círculos, según los informadores de nuestros autores, a los cuatro puntos cardinales y las líneas a la distancia que separa dos puntos cardinales, siendo ésta de sesenta veces ochenta pasos de zorro (sesenta es la base de la antigua numeración y ochenta la de la numeración en uso en el momento de las investigaciones de Griaule); por último, la cruz es igualmente interpretada como la figura de un hombre (los cuatro círculos representarían los cuatro miembros) que porta un arco y

---

11. Ejemplo extraído de la obra de Marcel Griaule y Germaine Dieterlín, «Signes graphiques soudanais», en *L'Homme*, 1951, 3.

una flecha (las dos líneas). De entrada contamos, por tanto, con cierto «signo» provisto de significante gráfico (la cruz y los círculos) y de significado («la gran osa»), signo que cabe interpretar de diferentes maneras y por ello mismo utilizado por la lengua, convirtiéndose desde ahí en el punto de partida de cierto discurso cosmogónico. Es decir, que el signo gráfico, pictórico, es sustituido por un sistema gestual (la lengua), pero sin que en puridad se pueda hablar de ningún vínculo de necesidad entre este signo dogón y la propia lengua dogón, siendo la mejor prueba de esto el hecho de que ahora mismo yo acabe de dar cuenta de ello en otra lengua, en castellano.

En realidad, no se trataría en este caso de una escritura, ni tan siquiera de un discurso pictórico, sino sólo de un signo en apariencia aislado. Pasemos a considerar ahora otro ejemplo, el del siguiente extracto del *Codex Mendoza* (así bautizado por el nombre de don Antonio de Mendoza, virrey de la Nueva España entre 1535 y 1550). En principio, este manuscrito relata en su primera parte, por medio de dibujos, la historia de los señores de Tenochtitlan entre 1325 y 1521, en la segunda parte describe en detalle los impuestos pagados al soberano por más de cuatrocientas poblaciones y en la tercera (de la que vamos a entresacar nuestro ejemplo) describe la vida de los aztecas. Cierto cura que hablaba la lengua de los aztecas, el náhuatl, añadió algunos comentarios en español con el fin de hacer el texto más comprensible. Se nos muestra aquí un grupo de reconocimiento (formado por cuatro hombres) que avanzan en la noche buscando el mejor lugar para efectuar el ataque a determinada población. Las huellas de sus pasos indican su itinerario a través del pueblo, precisándose la situación de las casas, del templo (bautizado por el cura como «mezquita», como si en esa época cualquier edificio religioso que no fuera una iglesia sólo pudiera ser eso) y del mercado. Más abajo, vemos a tres personajes sentados, los emisarios venidos a discutir la paz: de sus bocas salen palabras, lo que se nos transmite con ciertos signos. Frente a ellos, otro personaje muestra los signos de autoridad (un escudo y algunas flechas) dispuestos a poca distancia de él. Por último, cuatro hombres armados y con signos decorativos en sus vestiduras representan a los jefes militares. Aquí todavía, el texto pictórico puede ser leído en no importa qué lengua, pues originariamente lo era en náhuatl, después fue traducido al español y ahora acabo de verterlo al francés.* No existe por lo tanto el menor vínculo necesario entre este códice azteca y la lengua de los mismos aztecas, pudiéndose «leer» este pasaje a manera de cómic mudo, desde luego, eso sí, si se cuenta con alguna mínima iniciación

* Así en el original. *(N. del t.)*

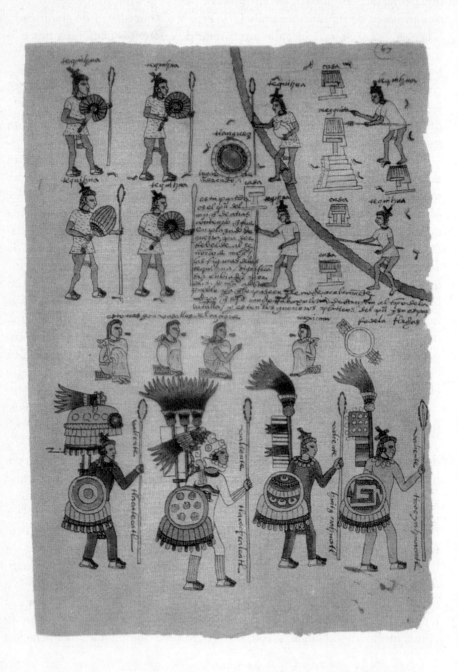

en semiología: es preciso saber lo que significa el dibujo de un pie, el signo de la palabra, etc. Por el contrario, en la segunda parte del manuscrito se encuentran numerosos ejemplos de nombres de lugares que sólo se pueden comprender en relación con el náhuatl. El nombre de cierto pueblo llamado Cuauhnahuac («en el bosque») es transcrito del siguiente modo por medio de un árbol (*cuauh* en náhuatl), y el signo de la palabra por el mismo que acabamos de ver (*náhuatl*):

cuauh + náhuatl = cuauhnahuac

Por supuesto, se trata de una especie de acertijo, de aproximación jeroglífica, que sólo se puede entender dentro del contexto de una lengua.[12] Sin embargo, nuestros ejemplos provienen del mismo documento y fueron realizados en la misma época. En el primer caso contamos con un relato pictórico sin referencias a ninguna lengua particular, y en el segundo de un intento de notación de nombres de lugares por referencia a la lengua. La ciudad de Cuauhnahuac no puede ser nombrada más que por medio de ese grafismo gracias al cual se leerá árbol, *cuauh*, y no *árbol*, ni *tree*, *baum* o *arbre*, leyéndose también la «palabra» *náhuatl* y no *parole*, *habla* o *speech*. Es decir, que estamos asistiendo al encuentro entre un sistema pictórico (los glifos «aztecas») y un sistema gestual (la lengua azteca, el náhuatl), que de momento se puede analizar simplificadamente (más tarde volveremos sobre esto) como la prefiguración de cierto sistema de escritura, pero que nos demuestra que ambos sistemas existían de manera autónoma con anterioridad a tal encuentro. En otras palabras, el glifo correspondiente a árbol era utilizado para referirse a un «árbol», no especialmente a un *cuauh,* sin tener en principio que ser leído (oralizado), sino simplemente visto, sin existir ninguna necesidad de que se pronuncie *cuauh* más que a partir del momento en que es utilizado para componer un jeroglífico.

Es posible observar que este ejemplo es susceptible de ser desarrollado en dos direcciones diferentes:

12. Se pueden encontrar ejemplos del mismo tipo en César Macazaga Ordono, *Nombres geográficos de México*, México, 1979.

1) podrá quizás ayudarnos a reflexionar sobre *cómo* surgió la escritura (es decir, y recordémoslo de nuevo, ese encuentro entre un sistema pictórico y un sistema gestual);

2) debe igualmente permitirnos reflexionar acerca del porqué de tal aparición, razón por la que a este respecto no resulta en absoluto indiferente que esta parte del *Codex* esté constituida por la transcripción de una lista de impuestos: la escritura sería en un primer momento patrimonio del poder.

Pero lo que parece más importante aquí, ya que se trata de una cuestión de principios, es rechazar *a priori* considerar todo grafismo como prefiguración de una escritura. En efecto, cada vez que es encontrado un sello, una vasija con inscripciones o cualquier otro tipo de grafismo se tiende a analizar en términos de transcripción de una lengua, como si se tratara de los primeros balbuceos de una futura escritura. Ahora bien, un sistema pictórico puede existir en tanto que tal sin necesidad de ninguna justificación lingüística, y aunque en este libro nuestro propósito sea el esbozo de una *historia de las escrituras*, ello no implica que aceptemos la visión teleológica dominante. Historia de *las* escrituras, decimos; y es que, como ya se habrá comprendido, el singular tiene que ser desterrado. Ciertamente la escritura no se puede reducir al alfabeto, pero la escritura por su parte tampoco se puede reducir a un solo espacio geográfico, época o cultura. Resulta obligado no olvidar que, en nuestro intento de presentar una historia de las escrituras, nos encontramos presionados por:

—los límites del conocimiento de las ciencias (la menor inscripción, repentinamente descubierta, puede en cualquier momento situar más atrás en el tiempo el origen de tal o cual sistema de escritura, del mismo modo en que cualquier nueva teoría puede siempre arrojar nueva luz sobre el problema);

—los límites temporales en lo relativo a la conservación de los distintos sistemas gráficos. Por definición, sólo han sobrevivido hasta nuestros días aquellas escrituras que se han mostrado capaces de resistir el paso del tiempo. Aunque dispongamos de una serie de signos grabados o pintados, no estará de más pensar que, al mismo tiempo, antes o después, otros signos pudieron quizá ser tatuados, pintados sobre la piel, sobre tejidos, sobre fragmentos de corteza, etc., sin que dejaran luego el menor rastro. En cuanto a esto, suscribo por completo las siguientes palabras de Jean-Marie Durand:

Por supuesto, resulta quimérica la búsqueda del espacio geográfico exacto en el que se pudo producir la aparición de la escritura. Éste se puede encontrar en cualquier lugar en donde una sociedad que ha sabido dotarse de un conjunto de signos materiales de descripción (simbólica) elige determinado soporte para conservarlos. Han sido numerosas las sociedades que pudieron elegir entre distintos soportes no evolutivos (como paredes, por ejemplo) o perecederos (todos aquellos que no se sirvieron de tablillas de arcilla).[13]

Durand se refiere a las escrituras cuneiformes, pero sus palabras se podrían aplicar igualmente a cualquier otro tipo de sistema de escritura. Es decir, que esta historia de las escrituras debería llevar como título, pese a su extensión, el de *historia de las escrituras de las cuales se conserva algún rastro*. Y dentro de esta historia, yo defenderé también la siguiente tesis: *tanto la lengua como la escritura proceden de dos conjuntos de significantes diferentes de hecho en cuanto a su origen, al gesto y a lo pictórico. Sus relaciones revelan el encuentro de estos dos conjuntos que, por su parte, siguen vías autónomas: la escritura supone la sumisión de lo pictórico a lo gestual (la lengua).*

Pues lo pictórico, de lo cual la escritura es sólo una parte, desde sus inicios fue capaz de transcribir cualquier otra cosa diferente al «lenguaje articulado». En especial, presentaremos en el primer capítulo un sistema gráfico capaz de transcribir gestos surgido hace ya mucho tiempo, existiendo por lo demás en la actualidad distintos sistemas pictográficos que permiten realizar la notación, por ejemplo, de la música (escritura musical) o de la danza (transcripción de las coreografías). Veremos cómo se produjo la atadura de lo pictórico a esa forma de gestualidad constituida por la lengua y lo que permanece en la escritura de su originaria independencia de lo pictórico.

13. Jean-Marie Durand, *L'Espace et la Lettre*, París, Union Générale d'Édition, 1977, pág. 35.

Aproximación etimológica:
El origen de la noción de escritura

¿Cómo denominaron las sociedades a esos sistemas con los cuales ellas mismas iban dotándose con el fin de conservar el rastro de su producción semántica?

La etimología del verbo francés *écrire* resulta interesante desde este punto de vista. *Écrire* en francés, *escribir* en español, *scrivere* en italiano, etc.; las lenguas románicas nos sugieren retroceder al latín *scribere*, «trazar caracteres», que a su vez nos envía a una raíz indoeuropea, **ker/*sker*, indicadora de la idea de «cortar», «realizar incisiones» (así, en sánscrito *krtih*, «cuchillo», aunque también en castellano *corte*, en francés *court*, en inglés *short*, etc.). La filiación *scribere-écrire* se remonta a la «forma extendida»[1] **squeribh*, «realizar incisiones», pero también *schreiben* en alemán e incluso *escarificación* en castellano... La escritura sería, por lo tanto, según la etimología, una especie de incisión, idea que reencontramos en el griego *graphô* (indoeuropeo **gerbh*, «arañar») o en el inglés *write*, «escribir», en el neerlandés *rejten*, «rasgar», en el sueco *rita*, «dibujar» (indoeuropeo **wer*, «arañar, rasgar»), o también en sánscrito, en donde la raíz *likh* significa igualmente tanto «dibujar» o «raspar» como «escribir», convergencia semántica que claramente pone de manifiesto dos cosas:

1) al principio, la actividad de «escribir» era equivalente a *realizar incisiones*, a *arañar*, lo que hace suponer que las piedras o las vasijas fueron sus primeros soportes;

2) por el contrario, nada hace pensar en la lengua, en la idea de que estos primeros grafismos fueran utilizados con el fin de obtener su transcripción.

Todo esto en lo concerniente a las lenguas indoeuropeas, si bien cabe encontrar algo similar en las semíticas: la raíz árabe *ktb* nos remite por una parte a la idea de «rastros» dejados por los pies del caminante y por otra a la de

1. R. Grandsaignes d'Hauterive, *Dictionnaire des racines des langues indoeuropéennes*, París, Larousse, 1949.
* Los términos seguidos de asterisco pueden ser consultados en el glosario, en las últimas páginas del libro.

«reunir», juntar las letras (*kataba*, «escribir») o también... los caballos (*kati-ba*, «cuadrilla»); *ktb* es la raíz semítica usual, pero existe otra, *zbr*, «tallar la roca» o «poner las piedras unas encima de las otras para levantar un muro», que nos conduciría de este modo, de manera indirecta, al sentido de «escritura», encontrándose en el Corán el término *zabu:r* para designar aquellos escritos que fueron revelados a David, siendo denominado el libro *zabr* y el cálamo *mizbar*. Las raíces *zbr* y *ktb* tienen en común, por lo tanto, además de la idea de escribir, la de reunir, la de relacionar algunas cosas.[2] En cuanto a las *runas*, sus nombres nos remiten hacia otro campo semántico, el del «misterio»: en islandés antiguo *runar*, «secreto», en sajón antiguo *runa*, «murmullo», en islandés *run*, «secreto, misterio», en galo *rhin*, «secreto»...

En ninguno de los ejemplos anteriores hemos encontrado la idea de que eso a lo que nosotros llamamos escritura haya tenido, en sus orígenes, nada que ver con los sonidos propios de la lengua, aunque en cualquier caso sí se pueden descubrir tres rasgos de sentido:

—la idea de arañar, de realizar incisiones (siendo la técnica lo que cuenta en este caso);
—la idea de reunir (las letras, pero también las piedras o los caballos);
—la idea de secreto, de misterio (siendo una de las funciones de tales grafismos lo que entonces se toma en consideración).

2. Datos reunidos por Abdallah Bounfour.

Capítulo 1

La escritura de antes de las letras

Desde que en 1861 el cirujano Pierre-Paul Broca demostrara que determinadas lesiones cervicales llevaban aparejada la pérdida del uso del lenguaje, hemos avanzado considerablemente en nuestro conocimiento de la geografía cervical, llegando en concreto al conocimiento de los siguientes dos principios fundamentales:

—el hecho incontrovertible de que el desarrollo de las zonas especializadas en el lenguaje está en relación directa con la posición erguida;
—el hecho de que el desarrollo de tales zonas va en paralelo con el de las actividades manuales.

En otras palabras, a medida que fue produciéndose la lenta evolución de cuadrúpedo a bípedo, que aquél iba sirviéndose cada vez en mayor medida de sus patas traseras, éste «va dotándose» al mismo tiempo que de manos (las antiguas patas delanteras) de capacidad para el lenguaje: desde entonces el hombre podrá hablar, manipular objetos o dibujar. Pero *ser capaz de hablar* no significa de hecho *hablar*, y pese a que sabemos, a partir del estudio de cráneos fósiles, que los primeros antropoides contaban con cerebros semejantes en proporción a los humanos y que el australántropo o que el sinántropo podían hablar, en modo alguno se puede afirmar que ellos se sirvieran de esta capacidad. Erguidos sobre sus patas traseras, hacía ya mucho tiempo que habían adquirido la facultad del lenguaje. ¿Pero en qué momento debieron ponerla en práctica? ¿Y cómo? El «cuándo» resulta imposible señalarlo con precisión: tal vez treinta y cinco o cuarenta mil años antes de nuestra era, cuando ya era *Homo sapiens*. ¿Cómo? Aunque desde luego no cabe contar con que alguna vez puedan ser reconstruidos los primeros lenguajes humanos sí, por el contrario, se pueden avanzar con cierta verosimilitud dos o tres cosas sobre esos códigos. Sin duda debieron ser a la vez *corporales* y *gráficos*, basados en el grito, el gesto, el dibujo, la incisión...

Cabe entonces considerar que, desde el principio, existió cierta división entre distintas formas de comunicación fugaces, que desaparecían nada más producirse su emisión (el grito, el gesto) y otras susceptibles de perdurabilidad, como es por supuesto el grafismo, pero también el tatuaje, las escarificaciones, etc. El gesto iría imponiéndose lentamente cuando las condiciones de la guerra o la caza precisaban de una intercomunicación silenciosa (con tal de no asustar a la presa o de no prevenir al enemigo), mientras que el grito o el sonido resultaban de mayor eficacia en la distancia o simplemente cuando llegaba la noche. De este modo fue demostrando su superioridad sobre el gesto, siendo sin duda por este motivo que los hombres hablan en virtud de la emisión de sonidos en vez de con gestos, es decir, con la garganta en vez de hacerlo con las manos. En cuanto a las primeras formas gráficas, no parece que se encuentren en el origen de la transcripción de formas gestuales, que ellas constituyeran por sí mismas ningún tipo de escritura: sin duda, se puede hablar propiamente de la coexistencia de dos sistemas autónomos.

Con los años, las manos humanas acabarían por convertirse en unas herramientas más precisas. Gracias a ellas, durante el cuaternario superior se fabrican las primeras hachas, con uno de sus lados afilados, elaboradas a partir de un único golpe capaz de romper la piedra en dos. Por cada kilo de sílex, el hombre podía producir por entonces unos cuarenta centímetros de superficie afilada. Después surgen las bifrontes, que precisan numerosas operaciones manuales, con lo que entonces se pasa a la producción de cinco metros de superficie afilada por cada kilo de sílex. La técnica de producción de instrumentos iría evolucionando progresivamente; el material, que inicialmente era una herramienta, se transforma con el tiempo en mero recurso natural del cual se extraen, a su vez, las nuevas herramientas. En ese momento se pueden obtener ya aproximadamente cien metros de superficie cortante por cada kilo de piedra... Y semejante habilidad manual tiene consecuencias, qué duda cabe, en otros tipos de producciones.[1] Durante este período seguramente surgirían los primeros grafismos. Al principio, se trataría de figuras geométricas, de incisiones sobre hueso o piedra, que en modo alguno son, como quizá se podría pensar, primitivas e ingenuas tentativas de representación del mundo circundante, sino más bien símbolos abstractos que parecen ser transcripciones de ciertos ritmos, quizá los de la danza (véase la figura 1).

Figura 1. Incisiones sobre huesos (35.000 a.C.)

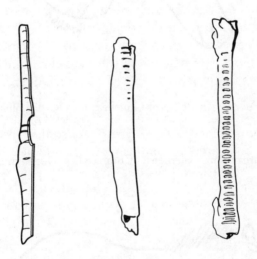

Fuente: André Leroi-Gourhan, *Le Geste et la Parole*, París, Albin Michel, 1964, pág. 264.

Nos encontramos ahora en la época denominada del musteriense, alrededor de treinta y cinco mil años antes de nuestra era. Enseguida se verán aparecer cabezas de animales, generalmente vinculadas a símbolos sexuales (véase la figura 2), y más tarde animales de cuerpo entero en unas composiciones que reúnen por grupos a caballos, a bueyes y a bisontes, y final-

1. Con relación a estas cuestiones, véase André Leroi-Gourhan, *Le Geste et la Parole*, París, Albin Michel, 1964, págs. 137-148 y 192.

mente se verán animales agrupados en manadas (véase la figura 3), mientras que en el solutrense aparecerán también ciertos grafismos geométricos que simbolizarán ambos sexos (véase la figura 4).

Figura 2. Grafismo auriñacense (Cellier, Dordogne, 30.000 a.C.)

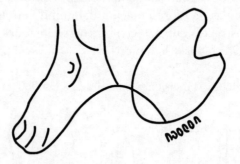

Fuente: André Leroi-Gourhan, *op. cit.*, pág. 265.

Figura 3. Grafismo magdaleniense (Combarelles, Dordogne, 11.000 a.C.)

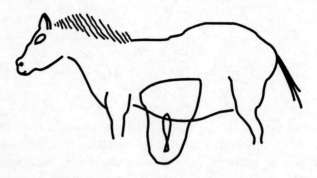

Fuente: André Leroi-Gourhan, *op. cit.*, pág. 265.

Figura 4. Signos parietales

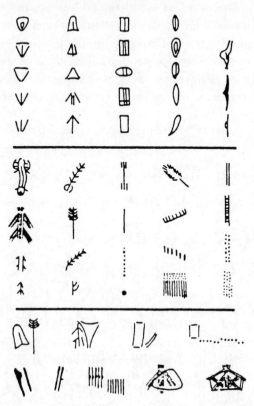

En el conjunto superior: signos femeninos agrupados en cinco series, triangulares (dos series), escutiformes, ovales y claviformes. En el conjunto central: signos masculinos. La primera figura, arriba a la izquierda, está copiada de una moldura semirredondeada hallada en la Madeleine. En el conjunto inferior: emparejamiento de signos sobre paredes. De izquierda a derecha (línea superior): El Castillo, Las Monedas, Las Chimeneas, Lascaux; línea inferior: Niaux, Lascaux, La Cullalvera, Bernifal, Font-de-Gaume.
Fuente: André Leroi-Gourhan: *Le Fil du temps*, París, Fayard, 1983, pág. 287.

El hombre ya habla, dibuja, fabrica utensilios y armas, caza y cosecha. Pero ¿cuándo comienza a escribir, es decir, a consignar sobre piedra, sobre las paredes de las cavernas, sobre huesos o pieles lo que, por otra parte, es capaz de expresar gestualmente? ¿A partir de qué momento la escritura permanecerá como testimonio de las evanescentes palabras? Los guijarros coloreados descubiertos en 1887 dentro de la gruta de Mas-d'Azil, en Ariège,

¿constituyen quizá ya una primitiva escritura (véase la figura 5, ejemplos 86 a 100)? Algunos piensan que sí, viendo en tales signos una especie de claves o de recordatorios. Nos encontramos en este momento en época magdaleniense, hacia el año 9000 a.C. Pero este estadio pictórico, si bien caracterizado por su esquematismo, no se debe considerar necesariamente prehistórico, tal y como demuestran algunos ejemplos de la figura 5 (ejemplos 10, 11, 20, 79...) o igualmente los *churingas* australianos (véase la figura 6).

Figura 5. Arte prehistórico esquemático

Fuente: *L'écriture et la psychologie des peuples*, Armand Colin, 1963, pág. 23.

1. Piedra redondeada, La Ferrassie, Musteriense. 2. 3. La Ferrassie, A. 4. Hueso (¿tal vez con incisiones numerales?), La Ferrassie, A. 5. Montespan, PS. 6. Rochebertier, PS. 7. La Madeleine, M. 8. La Croze (Combo del Bouitou), M. 9. Marsoulas, PS. 10. Hungría, siglo XIX (Musée de l'Homme). 11. Alemania, ¿siglo XVII? (Musée de l'Homme). 12. Laussel, G. 13. 14. La Ferrassie, A. 15. Castanet, A. 16. 17. Según Leroi-Gourhan, localidades no indicadas. 18. La Ferrassie, A. 19. Porte-bonheur, hacia 1900. 20. Australia, reciente. 21. Véase 16. 22. Laussel, PS. 23 a 26. Cabreret. PS. 27 a 30. La Madeleine, M. 31. Raymonden, M. 32. Louedes, M. 33. Lespugne, M. 34. Tursac, G. 35. Pekarna, PS. 36. Petersfeld, M. 37. Véase 16. 38. 39. Malta, M. 40. 41. Mediterráneo oriental, época histórica. 42. 43. Vistonice, PS. 44. 45. Aveyron, calcolítico. 46. Malta, M. 47. Bulgaria, reciente (Musée de l'Homme). 48. Baja Laugerie, M. 49. 50. La Madeleine, M. 51. La Zouzette, M. 52. 53. Atlas, Marruecos, Edad del Hierro. 54. Fuencaliente, España, ¿mesolítico? 55. El Castillo, España. 56. Cougnac, PS. 57 a 60. Lascaux, M. 61. Fontales. 62. Véase 16. 63. Les Combarelles, PS. 64. Marsoulas, PS. 65. Font-de-Gaume, PS. 66. Cougnac, PS. 67. Les Trois Frères, PS. 68. Cougnac, PS. 69. 70. Véase 16. 71. Font-de-Gaume, PS. 72. Véase 16. 73. La Clotilde, PS. 74 a 77. Lascaux. 78. Ideograma hitita: Dios. 79. Símbolo sobre una bola de brazalete (¿Extremo Oriente?). 80. Bola de brazalete (¿Extremo Oriente?). 81. Fragmento de diadema, Mézine, M. 82. Isturitz, M. 83. Lourdes, M. 84. Isturitz, M. 85. Malta, M. o mesolítico antiguo. 86 a 100. Mas-d'Azil, mesolítico antiguo.

Figura 6. Churica, colección del Musée de l'Homme, n° 35.53.4.

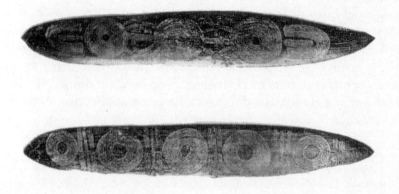

¿En qué momento, por lo tanto, el hombre pasó a consignar sobre la piedra, sobre las paredes de las cavernas, sobre huesos o pieles aquello que expresara inicialmente por medio de gestos? La mejor manera de abordar esta cuestión pasa por preguntarse sobre el sentido de lo que se conoce como las manos en negativo, más antiguas por cuanto datan del auriñacense, que se pueden encontrar en las paredes de cierto número de grutas, algunas en España (Fuente del Salin, El Castillo, etc.), otras en Francia (Pech Merle, Gargas, etc.) e incluso en Argentina (Cueva de las Manos Pintadas). Por «manos en negativo» se entiende aquellas imágenes realizadas al aplicar la mano sobre la pared pulverizando luego a su alrededor algún pigmento coloreado, sin duda por el recurso de escupir el color líquido. Algunas partes de esas manos aparecen «mutiladas», es decir, que les falta cierto número de falanges:

—en Maltravieso, España, se pueden contemplar veinticuatro manos con una de las falanges del meñique «amputada»;

—en Gargas, Francia, aparecen doscientas treinta y seis manos, de las cuales ciento catorce están claramente «mutiladas» y diez intactas (el resto se encuentran demasiado mal conservadas para que puedan valorarse);

—en Tibiran, Francia, hay otras diez manos «mutiladas»;

—y más recientemente, en la «gruta Cosquer», en el cabo Morgiou, próximo a Marsella, han sido encontradas cuarenta y seis manos en negativo, de las cuales veinticinco están «mutiladas».[2]

Algunos investigadores han creído ver en todo esto la huella de mutilaciones voluntarias, como sacrificio a los dioses; otros, por su parte, la prueba de cierta pérdida patológica de falanges debida a congelaciones o a alguna carencia alimentaria. André Leroi-Gourhan ha propuesto otro análisis del caso, afirmando que la estadística de ocurrencia de las figuras más frecuentes resulta muy similar a la de los animales de las demás grutas de la región. Las cuatro configuraciones más frecuentes son, en la figura 7, la mano O (cuatro dedos replegados, pulgar completo), la mano A (mano completa), la mano C (con el dedo corazón doblado) y la mano H (el anular y el meñique doblados). La comparación propuesta por Leroi-Gourhan ofrece el siguiente cuadro:[3]

2. Véase Jean Clottes y Jean Courtin, *La Grotte Cosquer*, París, Seuil, pág. 199.
3. André Leroi-Gourhan, *Le Fil du temps*, París, Fayard, 1983, pág. 317.

Gargas	Conjunto de los Pirineos		Niaux	Santimamie	Altamira	
0 47 %	bisonte	49 %	52 %	70 %		78 %
A 13 %	caballo	28 %	28 %	11 %		9 %
C 14 %	cabra	6 %	17 %	11 %	cierva	9 %
H 7,5 %	cérvido	4 %	1,5 %	4 %	jabalí	4 %

De todo lo cual el etnólogo concluye que «parecería por lo tanto, a la vista de los porcentajes, que los grupos de manos de Gargas muestran la misma estructura figurativa que las figuras de las pinturas de las otras grutas», de donde deduce la siguiente hipótesis:

> En el presente caso, se trata probablemente del mismo grupo étnico, de la transposición directa de los símbolos gestuales propios del cazador al arte parietal.[4]

Cabe desde luego imaginar que al mostrar su mano abierta el hombre de Gargas quisiera indicar a sus compañeros de caza que «hay un caballo», y que con sus cuatro dedos doblados pretendiera dar a entender «bisonte», con lo que se trataría entonces de un primitivo lenguaje adaptado a las necesidades cinegéticas, puesto que consignaba sobre las paredes asuntos relacionados con las cacerías y dibujaba esos gestos del mismo modo en que otros grupos humanos dibujaban caballos o bisontes. Esto podría significar que las primeras escrituras servían para transcribir gestos y no sonidos...

Jean Clottes y Jean Courtin, tras estudiar atentamente las manos de la gruta Cosquer (véase la figura 8), se decantan también por pensar en algún tipo de código:

> En la gruta del cabo Morgiou, y ello considerando solamente las figuras analizables con mayor certeza, es decir, descartando las manos peor conservadas o más dañadas por las raspaduras, pueden clasificarse las manos estudiables en siete categorías:

4. *Ibid.*, págs. 317-318.

manos completas, con los dedos intactos, izquierdas 10
manos completas, con los dedos intactos, derechas 3
manos izquierdas, con el meñique doblado 2
manos izquierdas, con el meñique y el anular doblados 15
manos izquierdas, con el meñique, el anular y el corazón doblados 6
mano izquierda, con cuatro dedos doblados 1
mano derecha, con los dedos doblados, a excepción del pulgar 1

No deja de ser notable que el cuarto tipo (los dos últimos dedos dobla-dos) sea aquí el dominante entre las manos que cuentan con dedos incom-pletos. Al igual que en Gargas y en Tibiran, el pulgar aparece intacto. Por úl-timo, se encuentran en Cosquer únicamente dos casos de manos (derecha e izquierda) cuyos cuatro dedos están doblados. Tales configuraciones digita-les son hasta cierto punto diferentes a las observadas en Gargas, cuyas figu-ras muestran mayor diversidad (dieciséis tipos según Barrière). En Gargas predominan aquellas manos que presentan los cuatro dedos doblados; y en Cosquer, las que doblan sólo dos. Si, por lo tanto —y es ésta también la hi-pótesis defendida por nosotros—, se trata de un lenguaje codificado expre-sado por medio de dedos doblados de determinada forma, los códigos de Gargas y Cosquer serían distintos, cosa que no puede sorprender del todo te-niendo en cuenta la lejanía geográfica de ambos lugares.[5]

Esta hipótesis de un código cinegético resulta desde luego de lo más seductora, aunque haya sido puesta en duda por algunos investigadores. Después de considerar las manos de Gargas sujetas al efecto de diversas patologías, como puedan ser la lepra, la enfermedad de Raynaud o con-gelaciones de diverso grado, René Tardos concluye que ninguna de ellas parece estar en el origen de estas «mutilaciones»:

Ninguna de las principales hipótesis patológicas no traumáticas caben te-nerse en cuenta, por lo que las manos mutiladas de Gargas dan la impresión más bien de ser efecto de actos voluntarios, es decir, de verdaderas amputa-ciones.[6]

5. Jean Clottes y Jean Courtin, *op. cit.*, pág. 77.
6. «Les mains mutilées: étude critique des hypothèses pathologiques», en *Les Dossiers d'Archéologie*, n° 178, enero de 1993, pág. 55.

Figura 7. Las manos de Gargas

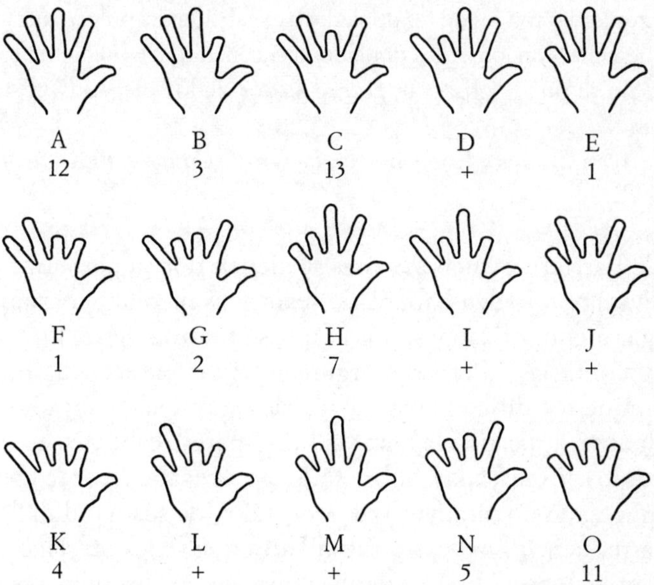

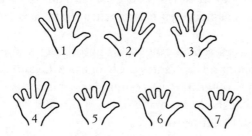

A	B	C	D	E
12	3	13	+	1

| F | G | H | I | J |
| 1 | 2 | 7 | + | + |

| K | L | M | N | O |
| 4 | + | + | 5 | 11 |

Cuadro sobre las formas digitales y su frecuencia de aparición. Las formas no representadas se señalan por medio de una cruz. En la segunda línea la forma índice-meñique replegada ha sido omitida (J'); no tiene representación.

Fuente: André Leroi-Gourhan, *Le Fil du temps*, París, Fayard, 1983, pág. 305.

Figura 8. Las manos de la gruta Cosquer

Las manos apenas visibles, en exceso dañadas o borradas, no han sido tenidas en cuenta.

Tipo 1: mano izquierda completa: diez casos seguros. Tipo 2: mano derecha completa: tres casos. Tipo 3: mano izquierda, meñique doblado: dos casos.

Tipo 4: mano izquierda, meñique y anular doblados: quince casos. Tipo 5: mano izquierda, con meñique, anular y corazón doblados: seis casos. Tipo 6: mano izquierda, con los dedos doblados a excepción del pulgar: un caso. Tipo 7: mano derecha, con los dedos doblados a excepción del pulgar: un caso.

Como se puede observar, el tipo 4 (dos dedos plegados) resulta el más frecuente.

Fuente: Jean Clottes y Jean Courtin, *La Grotte Cosquer*, París, Seuil, pág. 77.

Claude Barrière y Michel Sueres sostienen por su parte que estas manos mutiladas no pueden haber sido realizadas mediante el simple recurso de plegar algunas falanges, por lo que se trataría desde luego de mutilaciones voluntarias.[7] Pero sus argumentos no parecen definitivos. En efecto, aunque sea difícil la realización de estas manos tan sólo plegando algunos dedos y aplicando la mano sobre la pared, cabe pensar que quizás hayan podido ser retocadas. Sobre todo, no se acaba de entender por qué estos hombres, en un momento de progresión de sus habilidades manuales, iban a reducir las nuevas posibilidades que se les ofrecían recurriendo a las mutilaciones. No se entiende tampoco que los pulgares no fueran en ningún caso «mutilados». ¿Acaso un pulgar doblado no se remarcaría más, y con mucho, que los demás dedos en esa misma posición?

En cualquier caso, existen otros ejemplos en los cuales la presencia de un código manual resulta indiscutible. Es el caso de la gruta de Acum, en el Yucatán, donde se encuentran a la vez manos mutiladas y otras manos que representan bocas de animales (véase la figura 9). «Por lo que sabemos —escribe Sara Ladrón de Guevara— algunos grupos de cazadores desarrollaron ciertos códigos manuales que les permitían comunicarse silenciosamente en el momento de la caza sin ser oídos por sus presas.»[8]

La misma autora señala que en los glifos mayas que representan la luna aparecen manos en diferentes posiciones, indicando las diferentes fases del astro, y que determinadas comunidades mayas se sirven todavía en la actualidad del gestualismo manual con el fin de indicar las diversas fases lunares (véase la figura 10).

7. «Les mains de Gargas», en *op. cit.*, pág. 54.
8. Sara Ladrón de Guevara, «Le symbole de la main en méso-Amérique précolombienne», en, *op. cit.*, pág. 74.

Figura 9. Impresiones de manos en la gruta de Acum, en Yucatán. Algunas de ellas representan bocas de animales que podrían corresponder a algún código utilizado por cazadores

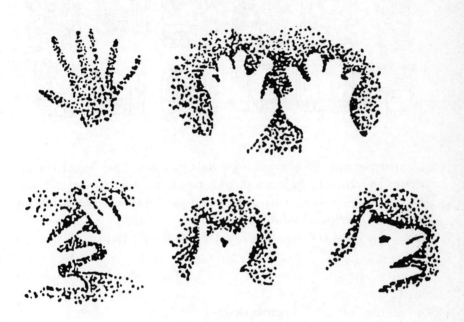

Fuente: *Les Dossiers d'Archéologie*, nº 178, enero de 1993, pág. 74.

Tenemos aquí un conjunto de elementos que permite pensar que en determinado momento histórico los hombres desarrollaron códigos manuales (para emplearlos durante las cacerías y las guerras, pero también para indicar las fases lunares...) y que al mismo tiempo se las ingeniaron para transcribir gráficamente tales códigos (por ejemplo, sobre las paredes de las grutas o por medio, como en el caso de los mayas, de glifos). Quizás empezara entonces la subordinación de la escritura a la gestualidad, y en concreto al gesto sonoro. Su historia iba a ser larga y tortuosa. Los soportes fueron variando de manera considerable; primero piedras, pieles, huesos y tejidos, y más tarde papiros para llegar, por último, al papel... Y las formas también cambiarían. Pero al margen de esta variedad, permanece invariable el principio rector, propio de cualquier tipo de escritura: que lo que se desea relatar y comunicar quede salvaguardado, que permanezca.

Figura 10. Glifos mayas referidos a la Luna

Aparecen aquí diversas manos que indican la posición de la Luna en determinadas fechas. Las posturas de las manos recuerdan a las que utiliza en la actualidad —pese a algunas modificaciones— el lenguaje gestual de los mayas para referirse a las distintas fases lunares.

Fuente: *Les Dossiers d'Archéologie*, nº 178, enero de 1993, pág. 74.

Capítulo 2

El nacimiento de la escritura:
signos cuneiformes

A lo largo del cuarto milenio antes de nuestra era surge, entre los dos ríos que dan nombre a Mesopotamia (en griego, *mesos* significa «en mitad», y *potamos* «río»), el Tigris y el Éufrates, la brillante civilización sumeria, civilización que iba a legar a la humanidad un invento revolucionario cuyos ecos aún se pueden escuchar en la actualidad: la escritura.[1] El nacimiento de la escritura se encuentra ligada a dos factores, por lo menos, de naturaleza muy diferente, como son por una parte el factor urbano y por otra las cada vez mayores necesidades administrativas. La aparición de los códigos, sean éstos de la naturaleza que sean, está, en efecto, directamente relacionada con la de los grupos humanos, con la de las comunidades que comparten estos códigos, pero también con las funciones que se les pide cumplir a tales códigos. La comunidad que asistiría al alumbramiento de la escritura iba a ser precisamente cierto pueblo de lengua sumeria llamado Uruk (actualmente Warka), situado en la baja Mesopotamia a la orilla izquierda del Éufrates (lugar en el que se han rea-

---

1. En relación con este período véase Jean Bottero, *Mésopotamie, l'Écriture, la raison et les dieux*, París, Gallimard, 1987, y Samuel Noah Kramer, *L'Histoire commence à Sumer*, París, Arthaud, 1957.

lizado numerosas excavaciones desde el año 1928). Y se puede deducir la
función de esta escritura a partir incluso de la observación de sus producciones más embrionarias, una especie de «fichas», que las excavaciones nos
han dado a conocer, encerradas en «recipientes» de barro con forma de conos de diferentes tamaños o de bolas... (véase la figura 1). El contenido de
estos recipientes servía como referencia, como una especie de garantía en
los contratos. Si había el compromiso de entregar un rebaño de corderos de
tantas cabezas, se sellaba entonces un recipiente de arcilla que contenía tantas fichas como corderos, o también determinadas fichas que por sus formas simbolizaban tal o cual número de cabezas.

Figura 1. Cada una de las fichas equivale a un número. Las fichas se
encerraban en un recipiente de arcilla. Puede observarse en la fotogra-
fía que la superficie del recipiente, en forma de bola, cuenta con signos
recordatorios de lo que guarda su interior. Louvre, Sb 1927.

Sobre la superficie de este contenedor aparecen indicaciones acerca
de lo que éste encerraba dentro, sin duda sin que quienes tuvieran la ocurrencia se percataran de que semejante «etiquetaje» convertía en inútil su
contenido, desde ese preciso momento obviable. Pero el caso es que el
principio rector de la escritura había nacido: en lugar de contar sirviéndose de cierto número de «fichas» correspondientes a un universo (como,
por ejemplo, el número de borregos que componen un rebaño) se indicaba ese número de manera simbólica. Con todo, quedaba por indicar la

noción de «borrego», después la de las diferentes cosas que se podían contar y, por último, las distintas cosas que en algún momento podría resultar susceptible querer indicar.

Para comprender el origen y la difusión de este invento es necesario distinguir, según el principio presentado en la introducción, entre un sistema pictórico (elaborado a partir de pictogramas, de los cuales iremos hablando) y numerosos sistemas gestuales: en principio la lengua sumeria, más tarde la lengua acadia y después también otras (como la urartea, la asiria, la hitita...). Y sin embargo, la escritura cuneiforme desarrollada a partir de los primeros pictogramas sumerios significará una importante baza histórica: a lo largo de los siglos iba a servir para transcribir diversas lenguas, de estructuras diferentes, en zonas en muchas ocasiones muy distantes, dando nacimiento a los diversos alfabetos del mundo. Desde luego que esto no demuestra con absoluta certeza que la escritura viera la luz en Sumeria. Es posible, por supuesto, como hemos dicho antes en la introducción, que nuevos descubrimientos den prueba el día de mañana de formas de escritura aún más antiguas, de las cuales tal vez provenga la cuneiforme. Igualmente, se puede argumentar que el sistema sumerio tuvo la fortuna de no desvanecerse sin dejar la menor huella y de transmitirse (la arcilla cocida de las tablillas ha sido capaz de resistir el tiempo, pero el papiro, la tela o el cuero ciertamente no hubieran sido capaces de hacerlo), mientras que otros sistemas de los cuales no hemos encontrado ni rastro o de los que contamos solamente con algunos restos (como las «escrituras» del valle del Indo, las de Harappa y Mohenjo-Daro, la «escritura» proto-elámica: más adelante volveremos sobre ellas), desaparecidos al no tener posibilidades de evolucionar, quizá merezcan ser considerados el origen de este trascendental invento. Esto parece, no obstante, bastante poco probable, por lo cual la tesis que defenderemos aquí es la del nacimiento de la escritura en Sumeria.

SUMERIOS

Durante la época que nos ocupa, finales del cuarto milenio antes de nuestra era, al menos dos pueblos habitaban Mesopotamia. Uno, llegado sin duda del sudeste, hablaba una lengua de la que no se conoce su origen ni, por consiguiente, su familia: éste era el sumerio. El otro, venido del norte, hablaba una lengua semítica: el acadio. Ambos se repartían la región: los acadios al norte y los sumerios al sur. Fueron los sumerios los que nos legaron los primeros rastros de escritura. Sus primeros pasos se pueden seguir gracias a unas pequeñas tablillas de arcilla cocida (como por ejemplo, las del asentamiento de Uruk), de forma rectangular, en las que se pueden distinguir unas líneas curvas trazadas con ayuda de la punta de un cálamo: los pictogramas. Cada uno de los signos así trazados representaba algún objeto o animal:

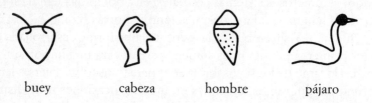

buey   cabeza   hombre   pájaro

Con estos pictogramas se podían indicar sólo algunas nociones concretas, ciertos objetos, animales, plantas, etc., y seguramente tales signos no tenían nada que ver con su pronunciación. En ese estadio del sistema (nos encontramos hacia el año 3300 a.C.) la relación de los pictogramas con la lengua es por completo contingente: sabemos que pájaro se pronunciaba en sumerio *mushen* y que el pictograma correspondiente a pájaro era «leído» así por los sumerios, pero nada en ese signo sugería esta pronunciación, pudiendo también ser pronunciado en otra lengua, como en la actualidad podría serlo en español (*pájaro*), en francés (*oiseau*), en inglés (*bird*), etc.

El sistema contaba en sus comienzos con más de dos mil pictogramas, reproduciendo unos, más o menos fielmente, lo que se pretendía designar y contando otros con un marcado carácter abstracto, aunque en todos los casos el principio rector de estos grafismos pasaba por la imitación de la cosa designada. Los primeros «textos» (a menudo escritos en tablillas de arcilla) se encuentran directamente ligados a la gestión de bienes particulares (inventario de rebaños, de bodegas, contratos...) o a la administración del Estado (tratados, leyes...), si bien aparecen también numerosos «documentos de fundación», enterrados en los cimientos de las edificaciones, conmemorativos de los trabajos emprendidos por los diversos soberanos (véase la figura 2).

El sistema de los pictogramas sumerios constituye, pues, una *escritura de las cosas* sin la menor vinculación con ninguna lengua concreta, aunque da testimonio, sin embargo, de la coyuntura de una cultura particular, como es cierto momento de la cultura sumeria: las tablillas nos ilustran sobre muchos aspectos de la vida cotidiana de aquellas gentes

Figura 2. Los textos de fundación

Los reyes de Mesopotamia tenían por costumbre enterrar en los cimientos de los edificios que hacían levantar, o incrustar en sus muros, ciertos objetos (ladrillos, tablillas, clavos, estatuillas...) en los que se podía leer algún tipo de texto conmemorativo de la construcción. Este texto, destinado a ser leído por los dioses, precisaba generalmente el nombre del dios al cual se consagraba la edificación, el del soberano y el de la construcción (o la lista de las construcciones) que éste había mandado erigir.

Clavo de fundación, Louvre AO 21036, origen, pág. 230.

 El texto informa de que el rey Ur-Bau (2155-2142) hizo construir el templo de E-Ninnu en conmemoración del dios Ningirsu, protector del pueblo de Lagash.

Tablilla, Louvre AO 257a, origen, pág. 231.
El texto indica que el rey Gudea (hijo de Ur-Bau) mandó levantar un monumento en honor de Ningirsu.

 Tablilla de oro, Louvre AO 19933, origen, pág. 233.
Se rememora aquí la construcción del pueblo de Dûr Sharrukin por parte del rey Sargón II (721-705 a.C.).
El nombre de Gudea, que aparece en la línea quinta, se lee del modo siguiente:

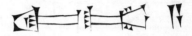

GU-DE-A: «el destinado» (en sumerio).

que habitaban entre el Tigris y el Éufrates. Pero esta *escritura de las cosas* resultaba en extremo rudimentaria, pues a duras penas permitía la redacción de textos literarios o de alcance teórico. No era ésta, inicialmente, su función. Tal escritura evolucionaría al poco tiempo, tanto en el plano técnico como en el plano funcional, para ir adquiriendo progresivamente otra forma y mantener otro tipo de relaciones con los significados de los cuales era vehículo.

La evolución técnica

Cuando se dibuja con una caña afilada en punta ciertas curvas sobre la arcilla fresca, el trazo tiene tendencia a oscilar, sin dejar marcas del todo limpias. Ésta sería indudablemente la razón por la que los escribas sumerios probarían poco tiempo después otra técnica diferente: en lugar de «dibujar», lo que se intentaba ahora era «imprimir» con la ayuda de una caña acabada en bisel. Al apoyar de este modo el cálamo en la arcilla se podía obtener una huella triangular en forma de cono, de donde proviene el nombre que más tarde se daría a este sistema: cuneiforme (el término se acuñaría primeramente en francés, en el año 1829, para designar este tipo de escritura), de la palabra latina *cuneus*, «cono». Esta técnica experimentaría con el tiempo diversas variaciones (impresión sobre arcilla por medio de una caña, sobre piedra o metal mediante cincel, pintura sobre tierra cocida...), pero el principio general continuó siendo el mismo. Se utilizaron así puntas verticales ▼, horizontales ▷ u oblicuas ◁, al igual que puntas que conservaban su acabado natural ◁. Al mismo tiempo, podía alargarse el trazo dejado por la punta mediante ciertos movimientos de la mano, pudiéndose obtener entonces ocho figuras básicas con las cuales serían compuestos todos los signos cuneiformes:

Cuando en la actualidad se observan los signos cuneiformes con intención de imitarlos, cuesta imaginarse a los escribas trazándolos a gran velocidad, sirviéndose de rápidos movimientos de muñeca gracias a los que podían cambiar de orientación la punta del cálamo. Alrededor del año 2600 a.C. todos los pictogramas experimentarían un cambio de rotación de unos 90 grados hacia la izquierda. Tal rotación puede tener su explicación, sin duda, en el hecho de que cambiara el sentido de la escritura y de la lectura: de esta manera se pasó de una lectura vertical (que seguiría utilizándose hasta finales del segundo milenio en monumentos y estatuas) a otra horizontal y de izquierda a derecha. Y esta doble evolución técnica iba a desembocar en la pérdida de la similitud, del sentido imitativo de los signos gráficos, que progresivamente fueron convirtiéndose en convencionales. Por lo tanto, poco a poco fue perdiéndose el recuerdo de algo que se podría denominar «etimología gráfica». Observemos esta doble evolución por medio de dos pictogramas que ya hemos presentado antes:

a = rotación de 90°
b = paso de la línea curva a los «conos»

Buey   *Pájaro*

a   b   a   b

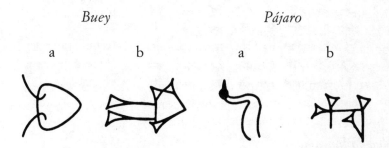

Y he aquí también un gráfico que muestra la evolución de dieciocho pictogramas realizados entre los años 3000 y 600 a.C. (Kramer, *L'Histoire comme à Sumer*, pág. 24). Nótese, entre la primera y la segunda columna, la rotación de 90° hacia la izquierda.

Figura 3. La evolución de los pictogramas cuneiformes

								estrella
								campo
								hombre
								mujer (pubis)
								montañas
								esclavo
								cabeza
								boca
								trozo de pan
								comer
								curso fluvial
								beber
								pie
								pájaro
								pez
								(cabeza de) buey
								(cabeza de) vaca
								espiga

Evolución funcional

Los pictogramas sumerios se comenzaron a utilizar, pues, con el fin de designar objetos, animales, algunas partes del cuerpo humano, etc., de manera más o menos reconocible y sin que existieran referencias sobre su pronunciación: tal es el caso de los ejemplos de los que nos hemos servido hasta el momento, en los cuales se puede reconocer el buey, el pájaro, el hombre, la cabeza... Pero los pictogramas podían contar también con determinados valores simbólicos. Así, «amigo» se podía transcribir mediante dos trazos paralelos, y «enemigo» mediante dos cruzados:

amigo   enemigo

En otras ocasiones el sentido podía proceder igualmente de la combinación de algunos pictogramas. De este modo, se combinaba mujer (representada por el pubis) con montañas, obteniéndose entonces un pictograma que venía a significar «extranjero» o «esclavo» (al cual se había capturado al otro lado de las montañas), tal y como demuestra el ejemplo 6 del gráfico de la página 50. De la misma forma, el pictograma de cabeza asociado al del pan permitía indicar la noción de «comer», o asociado al de agua la noción de «beber», etc. (véanse los ejemplos 10 al 12 del gráfico de la página 50).

El encuentro entre este sistema pictórico y el sistema gestual que constituía la lengua de los sumerios adoptaría formas originales. El sumerio era una lengua de tendencia monosilábica, lo que significa que la mayor parte de las palabras sólo estaban compuestas por una sílaba. Ahora bien, la combinación de consonantes y de vocales de una lengua únicamente puede ofrecer un número limitado de sílabas diferentes y, por lo tanto, de palabras diferentes. En una lengua como el español, es fácil encontrar numerosas palabras de dos y de tres sílabas. Pero el sumerio era mayoritariamente monosilábico, por lo que por doquier podían aparecer homofonías (aquellas palabras distintas que se pronuncian de la misma manera, como en francés *vers, verre, vert, ver*)* si la lengua no hubiera utilizado otra forma de distinguir entre los diferentes sentidos de tales «homofonías». Los asiriólogos, llevados más por el análisis de las escrituras que por el de las formas habladas, tratan este problema numerando las formas que ellos consideran como homófonas y que, a buen seguro, no resultaban homógrafas. Así, DU_1, «andar», DU_3, «construir», DU_6, «montículo» parecen pronunciarse de hecho del mismo modo (DU), pero no correspondían a los mismos grafismos. En realidad, estas cifras que en la actualidad nos permiten distinguir de manera sencilla los diferentes sentidos de estos homófonos debían contar necesariamente con equivalentes orales: es difícil imaginar que un pueblo pueda distinguir sistemáticamente por escrito algo que no alcanza a hacer de modo oral (del mismo modo que ocurre en el ejemplo en francés que acabo de señalar, *vers, verre, vert, ver*, si bien se trata de casos en extremo aislados), ni que una lengua pueda ser utilizada con normalidad cuando dispone de una decena de sentidos muy diferentes para cada una de las palabras monosilábicas. Resulta por tanto más que probable que la lengua hablada se sirviera, con tal de diferenciar estas homofonías, de ciertos tonos, al igual

---

* Ejemplos intraducibles al castellano. (*N. del t.*)

que sucede en chino, tonos de los cuales la escritura no ha conservado el menor rastro. Desde este punto de vista, se puede considerar que existe una relación directa entre la forma de la lengua (en este caso una lengua de tonos) y la forma de la escritura que la transcribe. Más adelante veremos que en la escritura china no se produce la notación de los tonos, aunque a cada sílaba diferente le corresponde un carácter distinto. Se produciría desde luego homografía, tanto en sumerio como en chino, si contaran con un alfabeto, lo que efectivamente sucede cuando se hace la transcripción del chino en pin yin (el sistema con el que se pasa el chino a los caracteres latinos propios de las lenguas romances).

Por primaria que parezca, la escritura sumeria se encontraba, sin embargo, en total conformidad con la estructura de la lengua; sería la estructura de la lengua acadia, ciertamente diferente, la que acabaría por imponer a ese sistema escriturario ciertas adaptaciones.

Los escribas sumerios se sirvieron, en efecto, de modo revolucionario, de esta homofonía, constituyendo de hecho una de las primeras revoluciones dentro de la historia de la escritura. Los pictogramas, que hasta entonces se empleaban habitualmente para hacer la notación de un objeto, serán utilizados en ciertos casos para hacer la notación de:

—la sílaba correspondiente al nombre de este objeto;
—otro significado con la misma pronunciación (como si en francés el dibujo de una *pelota* [*une balle* en el original francés] sirviera también para hacer la transcripción de un *baile* [*un bal* en el original], o como si el dibujo de un *mejillón* [*une moule* en el original]* se utilizara para transcribir, al mismo tiempo que ese determinado marisco, un *molde* [*un moule* en el original]), difícil de simbolizar por medio de un pictograma. De esta manera «vida», TI, será representado por el pictograma «flecha», que se pronuncia también TI (aunque ¿con el mismo tono? ¿Con un tono diferente? Imposible saberlo). O igualmente, el pictograma que significa «andar» o «pie» (DU_1) se reduplica con tal de obtenerse un nombre propio, DUDU.

Este sistema permitía hacer la notación tanto de aquellas partículas gramaticales que no disponían de transcripciones pictográficas «naturales» como de ciertos conceptos (por ejemplo, el de «vida») o incluso nombres propios, en particular los nombres semíticos de los vecinos acadios,

---

* Ejemplos intraducibles al castellano. *(N. del t.)*

los cuales, como ahora veremos, harían por su parte que el sistema evolucionara.

EL ACADIO

Si bien el nombre de Babel se suele apoyar sobre una etimología bastante fantasiosa (véase la figura 4), el hecho de convertir Babilonia en símbolo del plurilingüismo no deja de entroncar, en cierta medida, con la realidad. En efecto, la división norte/sur de Mesopotamia correspondiente a la división lingüística acadio/sumerio resulta en realidad funcional en un nivel teórico, puesto que ambas poblaciones se mezclaron con rapidez: «En un primer momento se encontraban más o menos separados, los sumerios al sur del país y los semitas más al norte, pero poco después se mezclarían, poniendo en común su rico acervo cultural».[2] Estos constantes contactos explican la tentación por parte de los acadios de utilizar la escritura cuneiforme sumeria, con el fin de lograr transcribir su propia lengua. Este sistema iba a ser por tanto copiado por ellos y adaptado al acadio, y más tarde difundido entre otros pueblos (elamitas, hititas). Béatrice André-Salvini explica que hacia el año 2000 a.C., coincidiendo con el derrumbe del Imperio sumerio, la lengua sumeria dejó de ser hablada, ocupando el lugar dejado dos dialectos acadios, el asirio al norte y el babilónico al sur. «A causa de diversas razones históricas, el babilónico se convertirá en la lengua de cultura del norte y del sur, llegando a ser, a mediados del segundo milenio a.C., la *lingua franca* del Oriente Próximo. El sumerio adquirió desde entonces en Mesopotamia funciones propias de lengua escrita de cultura, pudiéndose hablar desde ese momento de una cultura verdaderamente bilingüe.»[3]

Asistiremos entonces al transvase de la técnica cuneiforme aparecida en Sumeria, aunque no de todas las correspondencias fónicas propias de la lengua hablada en Sumeria, cosa que convertirá este sistema en algo de muy difícil desciframiento. Así por ejemplo, el ideograma correspondiente a astro, que en sumerio servía para designar «el cielo», pronunciado *an*, o «dios», pronunciado *dingir*, es utilizado con el valor fonético *an*, pero

2. Jean Bottero, «L'écriture et la formation de l'intelligence en Mésopotamie ancienne», en *Le Débat*, n° 62, noviembre-diciembre de 1990, pág. 40.

3. Béatrice André-Salvini, «Babel, mythe ou réalité? Le plurilinguisme à Babylone», en *Corps écrit*, n° 36, PUF, 1990.

Figura 4. De Babilonia a Babel

Se lee el nombre de Hammurabi en la primera línea y el de Babilonia en la tercera:

Louvre nº III 34 89, origen, pág. 80.

Ha-am-mu ra-bi en acadio: «el dios Hammu

es grande».

Ka dingir-Ra n ki en acadio: bâbili-ki, «la ciudad de la puerta de dios».

Bâbili, la «puerta de dios», se transforma en griego en *Babilon*, y es bajo este nombre por el que la ciudad se conoce actualmente. La Biblia le daría sin embargo otro, el de Babel. Como es sabido, gracias a las Escrituras, los hombres habían emprendido la construcción de una torre cuyo techo debía rozar el cielo, si bien Dios, con tal de castigarlos por tamaña arrogancia, sembró la confusión de las lenguas:

Y después Yahvé dispersó a los hombres por la superficie de la tierra, cesando éstos en su empeño de edificar la ciudad. Por eso sería conocida por el nombre de Babel. Allí fue donde Yahvé confundió las lenguas de los hombres, y de allí desde donde les dispersaría por toda la superficie de la tierra. (Génesis, XI, 8-9.)

Se trata en realidad de un juego de palabras establecido a partir de cierta etimología fantasiosa que hace derivar *bâbili* del verbo hebreo *bâlal*, «mezclar». Pero la Babel bíblica parece ser más bien la Babilonia (o Bâbili) mesopotámica, correspondiendo en todo caso la descripción de la torre que nos ofrece el Génesis a la de los *ziggurats*, esas torres escalonadas en terrazas tan típicas de Babilonia.

Babilonia, situada a orillas del Éufrates, a 160 km de la actual Bagdad, fue la capital de los amoritas entre los años 1830 y 1530 a.C. Los amoritas dominarían toda la Mesopotamia bajo el reinado de Hammurabi (1730-1687 a.C.). La inscripción antes citada es justamente una placa de fundación que conmemora la finalización de un canal de irrigación emprendido por Hammurabi.

No obstante, en lo que se refiere al multilingüismo de Babel/Babilonia, se trataba de una realidad: el sumerio, el acadio (con dos formas dialectales: el asirio y el babilónico), y más tarde el arameo, eran idiomas ciertamente hablados y escritos.

sirve también para indicar «cielo», pronunciado en acadio *shamu*, al igual que «dios», en acadio *ilu*.

1. En sumerio: «cielo», *an*, o «dios», *dingir*

2. En acadio: valor fonético *an*, «cielo», *shamu* o «dios», *ilu*

En realidad, mientras que el sumerio era una lengua aglutinante,* el acadio, al igual que las demás lenguas semíticas, estaba construido con raíces consonánticas, por lo general trilíteras (es decir, de tres sílabas). De esta manera un esquema consonántico podía indicar el sentido de un verbo

* Véase glosario.

(«comer», «beber», «andar»...), estando las diferentes formas del verbo señaladas por medio de determinadas variaciones de vocales o, eventualmente, por medio de reduplicaciones de consonantes. Los acadios desa-
rrollarían un sistema de notación de sus raíces, atribuyendo a los ideogramas
sumerios valores fonéticos. El resultado sería algo en extremo complejo,
puesto que se sirve al mismo tiempo del sistema ideográfico sumerio y del
sistema fonético acadio, pudiendo de este modo «leerse» un mismo grafismo de diferentes maneras. Tal es el caso del ideograma que significa
cielo, cuyo ejemplo hemos comentado más arriba, que puede ser «leído
fonéticamente» *an*, estando indicada la sílaba *an* en cualquier palabra acadia, o ser «leído semánticamente» *shamu* y significar entonces «cielo», o
incluso *ilu* y significar «dios». Las diferencias entre las distintas lenguas
hicieron que el acadio se viera obligado a realizar algunas transformaciones en el sistema, tal y como ha sugerido Jean Bottero:

> Frente al *dingir* sumerio, que designaba uniformemente «ser divino» en
> cualquiera de los distintos papeles gramaticales —que se precisaban por medio
> de prefijos o afijos yuxtapuestos, cuando no por el contexto— y que se podía
> indicar por el único signo de «estrella», ¿cómo pasarse sin recurrir al fonetis-
> mo si en acadio se quería sugerir que el «dios» en cuestión interpretaba el pa-
> pel de sujeto (*i-lu*), de complemento de un nombre (*i-li*), de «regente», com-
> plementado él mismo por un nombre (*il*), de objeto de un verbo (*i-la*), de
> plural «distributivo» (*i-la-ni*), etc.?[4]

Se indicaba, pues, por una parte la noción de «dios»/«cielo» (*an* o
dingir en sumerio, *shamu* o *ilu* en acadio) por medio de «estrella», aña-
diendo también un signo fonético que indicaba las inflexiones acadias (es
decir, en cierto modo, *dingir* + U, + I o + ANI, etc.), indicándose que se
trata de *ilu*/«dios», lo que en tal caso habría que leer... Pero tomemos una
comparación más cercana: por supuesto, se puede pensar que el dibujo de
una rosa basta para indicar *rosa*, aunque si de lo que se trata es de sugerir
las diferencias entre las formas latinas *rosa, rosam, rosae, rosarum, rosis*...
sin duda será necesario añadir entonces al pictograma de la rosa ciertas
marcas indicativas de estas distintas funciones o encontrar algún modo de
indicar *fonéticamente* las diferencias entre *-a, -arum, -is*, etc. Es esto lo que
progresivamente iría consiguiendo la escritura acadia, o al menos la adap-

---

4. Jean Bottero, «L'écriture et la formation de l'intelligence en Mésopotamie ancienne», en
Le Débat, n° 62, noviembre-diciembre de 1990, pág. 43.

Figura 5. Los documentos administrativos y contables

Se han encontrado numerosas tablillas que formaban parte de los archiveros de la burocracia mesopotamia. Fueron guardadas dentro de cestas etiquetadas, con el fin de que los archivistas pudieran localizarlas fácilmente.

Inventario de animales, Louvre, AO 13456, origen, pág. 212

Plano de una casa, Louvre, AO 338, origen, pág. 213.

Se puede observar en esta tablilla el plano de una casa con sus distintas estancias (patio central, cámara de recepción, habitación...) y sus dimensiones.

tación acadia de la escritura sumeria. El problema constituido por las homofonías, central en una escritura sumeria que transcribía la misma sílaba por medio de diferentes grafismos, dejaba pues de plantearse: las palabras acadias son generalmente de tres sílabas y las ambigüedades resultan bastante excepcionales, por lo que desde ese momento se hacía posible no utilizar más que un único grafismo por sílaba. Este sistema sería empleado durante mucho tiempo: solamente hacia comienzos del primer milenio antes de nuestra era la escritura sumerio-acadia cedería su puesto al alfabeto arameo, esa lengua aramea que iba a convertirse en la lengua dominante en Mesopotamia. Resulta fácil, por lo tanto, advertir que la misma estructura de la lengua acadia fue la generadora de la evolución del sistema cuneiforme. Si la lengua sumeria no hubiera desaparecido de la faz de la tierra como lengua viva, y aunque su escritura se hubiera visto perfeccionada, sin duda habría evolucionado hacia un sistema comparable al chino. Pero una lengua semítica como la acadia no se podía satisfacer con un sistema tan poco operativo, estando por tanto obligada a adaptarlo.

EL HITITA

A finales del tercer milenio antes de nuestra era, los hititas llegaron a Anatolia desde algún lugar que desconocemos (tenían por capital Hattusa, en la actualidad Bogazköy, situada al este de Ankara). Con tal de dotar de escritura a su lengua, de la familia indoeuropea, hacia el año 1500 a.C., adoptaron, y adaptaron, los signos cuneiformes babilónicos; signos cuneiformes que, a buen seguro, serían pronunciados en hitita. De este modo el signo hombre, *lu* en sumerio y *amêlu* en acadio, se pronunciaba *antusha* en hitita, cosa que una vez más supone la confirmación del principio según el cual el ideograma no mantiene ningún vínculo con una lengua en concreto.

Estos signos cuneiformes servían a los escribas para transcribir numerosas lenguas: por supuesto el hitita, para asuntos que tenían que ver con la administración interna y la religión, o el acadio, para las relaciones internacionales, pero también otras lenguas del Imperio tales como el hurita, el hati...

Existía por otra parte una escritura local, jeroglíficos hititas de los cuales tenemos aquí algunos ejemplos:

Figura 6. Jeroglíficos hititas. Selección de ideogramas

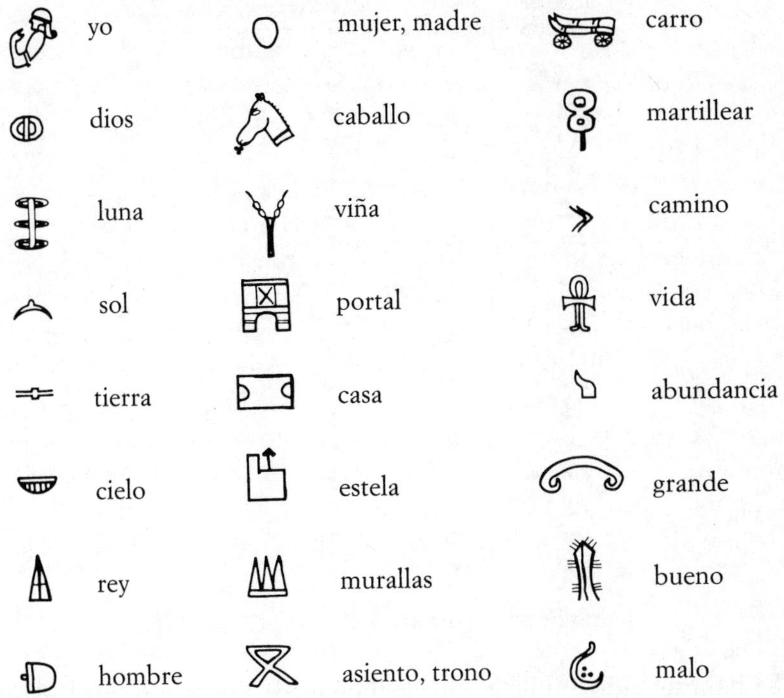

yo		mujer, madre		carro	
dios		caballo		martillear	
luna		viña		camino	
sol		portal		vida	
tierra		casa		abundancia	
cielo		estela		grande	
rey		murallas		bueno	
hombre		asiento, trono		malo	

Fuente: Emmanuel Laroche, «Les Hittites, peuples à double écriture», en *L'Écriture et la psychologie des peuples*, París, Armand Colin, 1963, pág. 116.

La escritura hitita era en *bustrófedon*, es decir, que estos jeroglíficos contaban con dos formas simétricas según fuera el caso de que se encontraran en una línea que iba de izquierda a derecha o de derecha a izquierda.

LAS ESCRITURAS UGARÍTICA Y PERSA ANTIGUO

La escritura ugarítica fue descubierta durante las excavaciones de Ras Shamra, cerca de la actual Siria, emprendidas a partir de 1929. Se trata, en lo relativo a su técnica, de impresiones cuneiformes, pero, en cuanto a su principio estructural, de un verdadero alfabeto que servía para dotar de transcripción una lengua semítica, sin duda el «protofenicio».

Figura 7. Alfabeto ugarítico

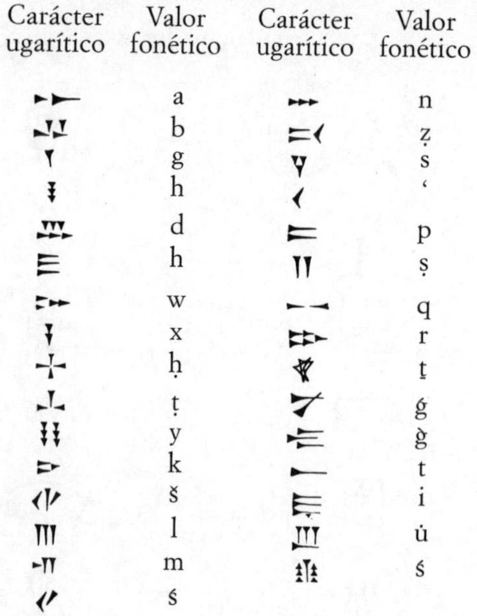

Carácter ugarítico	Valor fonético	Carácter ugarítico	Valor fonético
	a		n
	b		ẓ
	g		ṣ
	ḫ		ʿ
	d		p
	h		ṣ
	w		q
	x		r
	ḥ		r
	ṭ		ġ
	y		ġ
	k		t
	š		i
	l		ú
	m		ś
	ś		

(James Février, *Histoire de l'écriture*, pág. 176.)

Se ha intentado explicar el origen de estos signos a partir de los cuneiformes acadios, tomando como base la constatación de que éstos habitualmente se dividían en dos y que no transcribían una sílaba, como sucedía en acadio, sino sólo la inicial de esta sílaba. De esta manera, el signo acadio ᛉ que transcribe la sílaba *ša* en ugarítico transcribe la consonante *s*, o el signo acadio ⊬ que transcribe la sílaba *pa* se simplifica en la forma ⊨ para transcribir la consonante *p*, lo que significa que aparece aquí el principio de acrofonía* con el que, en tantas otras ocasiones, nos toparemos a lo largo de este libro. Sea como fuere, este sistema que ha sido datado entre los siglos XIV y XIII a.C. constituye el primer ejemplo conocido de escritura alfabética.

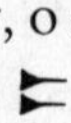

Durante un período bastante breve (siglos VI-IV a.C.) se utilizará igualmente un alfabeto cuneiforme para transcribir el persa antiguo. Pero esto ya es materia de otro capítulo de este libro, el del nacimiento de los alfabetos.

*Véase glosario.

Figura 8. Alfabeto persa antiguo

signos	valor	signos	valor	signos	valor	signos	valor
[signo]	a	[signo]	i	[signo]	p(a)	[signo]	v(i)
[signo]	b(a)	[signo]	j(a)	[signo]	r(a)	[signo]	y(a)
[signo]	č(a)	[signo]	j(i)	[signo]	r(u)	[signo]	z(a)
[signo]	d(a)	[signo]	k(a)	[signo]	s(a)	[signo]	tr(a)
[signo]	d(i)	[signo]	k(u)	[signo]	š(a)	[signo]	hšāyatiya, rey
[signo]	d(u)	[signo]	l(a)	[signo]	t(a)	[signo]	}dahyu, país
[signo]	f(a)	[signo]	m(a)	[signo]	t(u)	[signo]	}dahyu, país
[signo]	g(a)	[signo]	m(i)	[signo]	t(a)	[signo]	Auramazdâ, Oramuzd
[signo]	g(u)	[signo]	m(u)	[signo]	u	[signo]	bumi, tierra
[signo]	h(a)	[signo]	n(a)	[signo]	v(a)	[signo]	separación entre palabras
[signo]	ḫ(a)	[signo]	n(u)				

Fuente: *Naissance de l'écriture*, Ministère de la Culture, 1982, pág. 117.

¿UN POSIBLE VÍNCULO CON LA ESCRITURA PROTOINDIA?

En el valle del Indo, en Mohenjo-Daro y Harappa, han sido descubiertos ciertos «caracteres» inscritos en sellos y vasijas que tienen toda la apariencia de tratarse de pictogramas: aproximadamente cuatrocientos signos que representan personajes, animales y algunos símbolos abstractos, no descifrados hasta el momento, que presentan semejanzas con los mesopotámicos. Esta «escritura» data de alrededor del año 3000 a.C., es decir, de antes de la llegada de los arios a esta parte de la India (acaecida a mediados del segundo milenio antes de Cristo). Apenas se conoce nada de la lengua transcrita (ni siquiera si tales grafismos son la transcripción de alguna lengua), salvo que ésta no podía ser, por razones históricas, de raíz indoeuropea.

Figura 9. Ejemplos de los jeroglíficos de Mohenjo-Daro

hombre   hombre

Ⴓ   Ⴘ   ⊞   Å

Ejemplos de inscripciones encontradas en sellos de Harappa.
Fuente: James Février, *Histoire de l'écriture*, pág. 145.

Se han descubierto restos similares, siempre en forma de recubri-
mientos de vasijas, en algunas otros zonas, como en Mehrgarh, Tepe Yahya y Susa,[5] por lo que su situación geográfica sugiere algún vínculo, una
especie de continuidad, entre Mesopotamia y el Penjab (ver mapa):

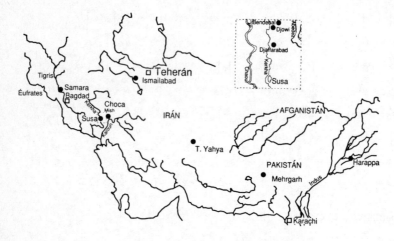

Fuente: P. Encrevé y G. Dollfus.

G. Quivron percibe en veinte de los signos por él descritos (y que están
datados entre el 3500 y el 2500 a.C.) cierta semejanza con los signos hallados
en Harappa, por lo que D. Potts sugiere prudentemente que las inscripciones de Tepe Haya (que alcanzaron su período de florecimiento entre el 2200
y el 1800 a.C.) podrían suponer una suerte de eslabón entre la escritura protoelamita y la escritura de Harappa. Pero éstas no son más que hipótesis difíciles de probar científicamente. Las inscripciones estudiadas por Dollfus y
Encrevé se remontan por su parte al quinto milenio antes de nuestra era, es

5. Véase G. Quivron, «Les marques incisées sur les poteries de Mehrgarh au Baluchistan, du milieu du IVe millénaire à la première moitié du IIIe millénaire», en *Paléorient*,
1, 1980; D. Potts, «The Potter's Marks of Tepe Yahya», en *Paléorient*, 7/1, 1981; G. Dollfus y P. Encrevé, «Marques sur poteries dans la Susiane du Ve millénaire, réflexions et
comparaisons», en *Paléorient*, 8/1, 1982.

decir, mucho antes de la aparición de la escritura protoelamita, y han sido descubiertas en diversas localizaciones cercanas a Susa. Los autores presentan en particular veintiséis señales incisas halladas en Djowi, de las cuales afirman que, salvo una (la número veintiséis, que podría representar una cabra), las demás son «abstractas, no pictográficas»,[6] haciendo pensar algunas de ellas en un tipo de numeración (las señales 1, 2, 3, 4 y 6).

Figura 10

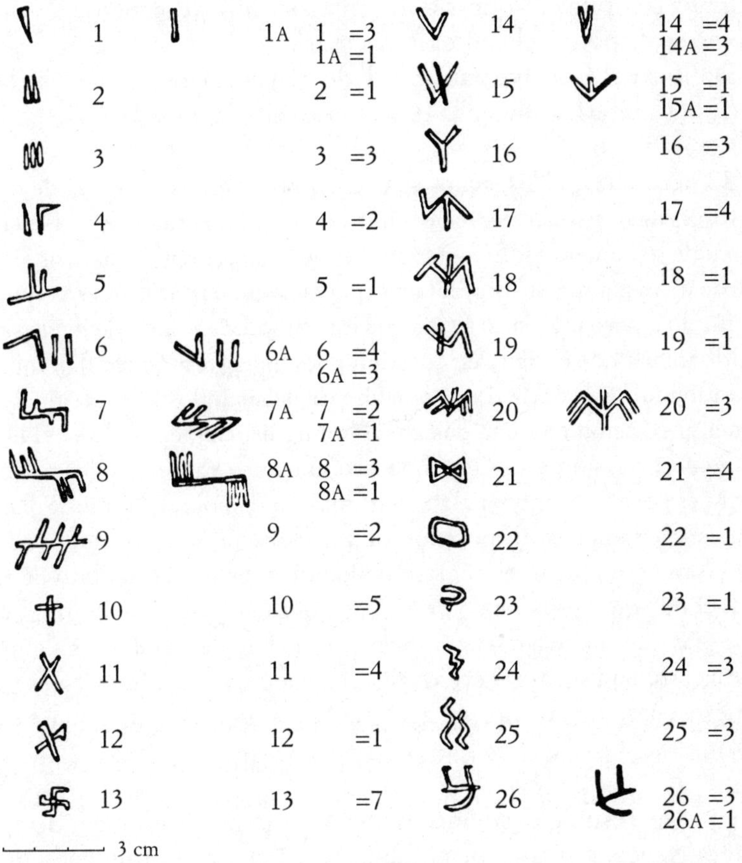

Fuente: G. Dollfus y P. Encrevé: «Marques sur poteries dans la Susiane du Ve millénaire, réflexions et comparaisons», en *Paléorient*, vol. 6/1, 1982, pág. 111.

6. G. Dollfus y P. Encrevé, *op. cit.*, pág. 113.

La primera de sus afirmaciones resulta de hecho harto discutible. Cuando se estudian los pictogramas y su evolución, se observa en efecto que su «etimología gráfica» es difícil de establecer, salvo cuando se dispone de todas las etapas de su evolución. De este modo, por lo que se refiere a Djowi, la señal número veinte podría quizá representar un pájaro en vuelo, pudiendo igualmente la número veinticinco representar un río (este grafismo es muy similar al del primer pictograma chino al que le correspondía tal sentido), etc. En modo alguno querríamos afirmar que estos signos tuvieran en realidad los sentidos sugeridos, sino simplemente remarcar lo complicado que resulta interpretar este género de señales cuando no se dispone del contexto necesario.

G. Dollfus y P. Encrevé han abordado con la mayor prudencia el problema de la significación y de la función de estos signos:

El hecho de que los signos se encuentren sobre recipientes de distintas formas y funciones parece excluir que se pueda tratar de indicaciones acerca de su contenido. Evidentemente, podrían ser datos relativos al creador de la vasija o a su propietario (papeles que en ocasiones se pueden confundir); pero incluso si se maneja esta hipótesis resulta de lo más aventurado inferir que el signo en cuestión pudiera corresponder al nombre de ese individuo: se podría tratar igualmente de símbolos convencionales sin la menor relación con una designación lingüística. Sea cual sea el estado de la cuestión, no parece legítimo pronunciarse sobre ella cuando ni siquiera es posible proponer alguna estimación demográfica seria. Solamente si estuviéramos en disposición de relacionar el número de individuos que viven en un lugar, el número de habitáculos (y por lo tanto de familias), el número aproximado de vasijas utilizadas, así como la proporción de vasijas que cuentan con incisiones, cabría intentar establecer alguna hipótesis razonable sobre el eventual vínculo entre signos, fabricantes y propietarios, cosa que ni aun así agotaría la cuestión de la función de tales signos.[7]

Este pasaje resulta, desde un punto de vista metodológico, de extremada importancia por su enorme rigor. Si, en efecto, por un centenar de familias que utilizan vasijas por ellas fabricadas se encuentra un centenar de signos, entonces se podría concluir que éstos suponen alguna indicación sobre la familia (un nombre o un símbolo), mientras que si no apa-

7. *Ibid.*

recen más que cuatro o cinco signos diferentes (o mejor todavía, si no aparece al mismo tiempo el rastro de cuatro o cinco hornos de alfarero) cabría entonces deducir que las marcas representan más bien la firma del fabricante. Pero el texto de Dollfus y Encrevé plantea un problema interesante desde otro punto de vista: no tanto la función o significación de estas marcas, sino su eventual papel en el proceso de aparición de la escritura:

> Pese al hecho de que dispongan necesariamente de significación, estas marcas no son una escritura: no revelan nada acerca de ningún sistema de signos vinculado a un sistema lingüístico concreto. Y sin embargo, será preciso reconocer que estas señales incisas provenientes del quinto milenio antes de nuestra era son antecedentes lejanos, si bien no claramente identificables, de la escritura. Ellas presentan ya: 1) el soporte (arcilla cocida); 2) la técnica (incisión por medio de un «estilete» —tomando el término en sentido extenso—); y 3) un repertorio de formas (en especial de formas abstractas) utilizadas para conferir poder simbólico a un lenguaje (comprendiendo aquí el lenguaje numérico). Incluso en el caso de que, en Djowi, el significado de estas formas tuviera poco que ver con la escritura, eso no resta importancia al hecho de que surjan similitudes con los orígenes de la escritura.[8]

De este modo, para ambos autores estas marcas podrían suponer no tanto *un grado menos uno* como *un grado menos dos* o incluso *menos tres de la escritura*. Tal argumentación se presta ciertamente a determinadas críticas. En concreto, nada nos permite afirmar que los primeros signos grabados hayan sido de carácter abstracto: aunque éste parezca ser el caso en lo que se refiere a parte de la prehistoria europea, la historia de los ideogramas chinos y de los signos cuneiformes sumerios nos demuestra lo contrario. Sin embargo, se puede pensar que algunos elementos (como el soporte, la técnica o ciertas formas) propios de los signos gráficos de Susa pudieron ser tomados en préstamo, y al mismo tiempo difundidos hacia el este (Tepe Yahya, más tarde Mehrgarh a mediados del cuarto milenio a.C., y Harappa y Mohenjo-Daro hacia el 3000 a.C.) y hacia Sumeria (por quienes, aproximadamente un milenio después, iban a «inventar» la escritura). Pero todo esto no son, desde luego, más que meras hipótesis.

---

8. *Ibid.*, pág. 114.

LA EXPANSIÓN DE LA ESCRITURA CUNEIFORME

A lo largo de tres mil años de historia resumidos a continuación, la escritura cuneiforme, en tanto que técnica, pasará de los pictogramas o de los ideogramas a fonética, evolucionando hacia un sistema alfabético.

1. Sumeria (3200 a.C.)
de los pictogramas
a los signos cuneiformes

⟡ ⟶ ⸾⸽ (veneno)

evolución hacia el fonetismo

2. Acadia (2500 a.C.)
transcripción fonética
de una lengua semítica

⸾ gi   ⋎ ša   ⋎⋎ sa

3. Hitita (1700 a.C.)
transcripción de una lengua
indoeuropea: jeroglíficos
y signos cuneiformes

4. Ugarítica (1400 a.C.)
el primer alfabeto (consonántico)
de base cuneiforme

⸾ g   ⧊ š   ⋯ s

5. Urartea (800 a.C.)
ligeras modificaciones
de los caracteres:

⊢ deviene ▸⸾▸

6. Persépolis (600 a.C.)
alfabeto de técnica cuneiforme

⫴ g   ⧊ š   ⸾⊢ s

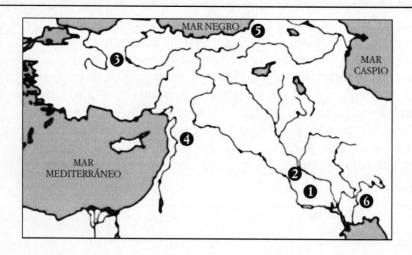

Capítulo 3

La escritura egipcia y su evolución

Todo el mundo ha oído hablar en alguna u otra ocasión de los jeroglíficos* egipcios. Este término, derivado de la lengua griega y utilizado únicamente con relación a la escritura egipcia, designa una escritura «sagrada» (hiero-) y «grabada» (glifo), pero no informa sobre el menor carácter técnico: en realidad, los jeroglíficos son ideogramas.* La complejidad del sistema y su constante evolución nos obligan no obstante a sugerir aquí algunas definiciones.

Se puede hablar de pictograma* cuando un determinado dibujo supone la representación de un mensaje sin la referencia de su forma lingüística. De este modo, el dibujo de un clavo mostrado encima de una caja de clavos, que a buen seguro un español leerá «clavo», un francés «clou», un inglés «nail», un italiano «chiodo», etc., constituye un pictograma: indica cuál es el contenido de la caja pero no ofrece ninguna información sobre la manera en que se denomina esa cosa. Es éste también el caso de ciertas pinturas parietales, de las pinturas sobre pieles

* Véase glosario.

realizadas por los indios americanos o por los esquimales, entre muchos otros ejemplos.

Un *ideograma* es, según la mayor parte de los diccionarios, «cualquier signo gráfico que represente una idea», no resultando siempre tarea sencilla, ateniéndose a las definiciones de los diccionarios (ya sean éstos generales o especializados), trazar la frontera entre el pictograma y el ideograma. Por nuestra parte, nos atendremos a la siguiente definición: *los pictogramas se presentan como elementos aislados, mientras que los ideogramas (que en su origen* eran *antiguos pictogramas) constituyen un sistema.* Esto quiere decir que al hablar de ideogramas en realidad estamos hablando ya de escritura.

Algunos *caracteres chinos,* los *jeroglíficos* egipcios, los *glifos* aztecas o mayas y los primeros signos *cuneiformes* se encuentran, todos ellos, en el principio de los ideogramas, pudiéndose afirmar que *todas las escrituras tienen un origen ideográfico.* Este *estadio ideográfico* que en gran medida caracteriza a las primeras formas de escritura y el hecho, pues, de que tengan todas origen pictográfico no debe hacernos pensar que esa voluntad de imitación de la cosa denotada convierte en evidentes estas grafías, confiriéndoles cierto grado de similitud con la cosa. Ciertamente, en algunos casos excepcionales cabe descubrir una correspondencia. Así por ejemplo, el sol:

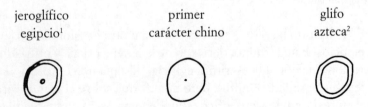

| jeroglífico egipcio[1] | primer carácter chino | glifo azteca[2] |

Pero esta similitud es más bien debida al azar, tal como y se pone de manifiesto en los siguientes ejemplos:

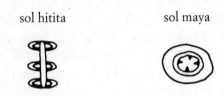

| sol hitita | sol maya |

1. El centro del círculo es rojo y el contorno azul.
2. El centro del signo jeroglífico es azul.

He aquí ahora el modo en que tres culturas diferentes han representado el agua:

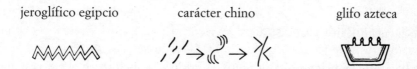

Como se puede comprobar, para representar el agua los egipcios retienen el movimiento de las olas y una vista de perfil ahí donde los chinos representan más bien la corriente acuosa, mientras que los aztecas prefieren un color (el azul) o algunas conchas y muestran el agua encerrada en un recipiente.

Las mismas diferencias aparecen en la representación de la serpiente:

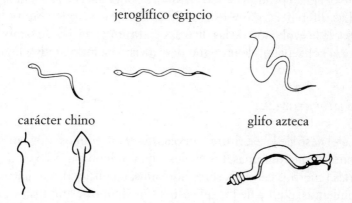

Más allá de las diferencias estilísticas, destaca el hecho de que la lengua de la serpiente se considere un rasgo importante en China y México, o que en Egipto y México se elija el punto de vista de perfil, mientras que la grafía china nos ofrece una vista desde arriba, etc.

Mostremos todavía un último ejemplo, el del ojo que, en los signos cuneiformes sumero-acadios, es representado así: ⟨ᚹ, para evolucionar enseguida hacia esta otra forma: ⟨⊢, apareciendo en los jeroglíficos cretenses de este modo:

o en China, sucesivamente, de estas otras formas:

o todavía en Egipto así: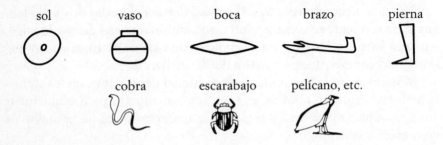

La grafía en principio, por tanto, es arbitraria, incluso en el caso de que pretenda imitar la realidad: al igual que las onomatopeyas que pretenden imitar lo real pero que, sin embargo, muestran diferencias de una lengua a otra (eso es, por ejemplo, lo que sucede con el grito del gallo, *quiquiriquí* en español, *cocoricó* en francés, *chicchirichi* en italiano, *cock-a-doodle-doo* en inglés, etc.), los pictogramas y los ideogramas tienen carácter arbitrario. Cada cual, sin embargo, podía creerse en el derecho de pensar que su pictograma imitaba con mayor fidelidad la cosa designada, al igual que cada uno cree oír el grito del gallo pronunciando la onomatopeya que, en su lengua, lo simboliza. Las diferencias entre estas grafías irían poco a poco multiplicándose, a causa de la evolución de las diversas escrituras, llegándose también poco a poco a la concepción de un signo desprovisto de todo motivo figurativo.

LA ESCRITURA EGIPCIA

En el caso de la escritura egipcia nos encontramos, por tanto, ante un conjunto de pictogramas, los cuales Champollion clasificó en dieciséis categorías (cuerpos celestes, seres humanos, cuadrúpedos, pájaros, reptiles, herramientas, etc.) y de los que éstos son algunos ejemplos:

Estos grafismos pueden representar directamente la cosa en cuestión (es el caso de los ejemplos anteriores), desde luego con el relativismo propio del simbolismo, que hace que una cobra trazada por un egipcio pueda no tener la menor relación con otra dibujada por un chino. Pero también pueden representar la cosa de otras maneras diferentes, lo que demostraré siguiendo a Champollion, en este punto más claro que los de muchos autores más modernos:

—por sinécdoque, es decir, «tomando la parte por el todo»; pero la mayor parte de los signos formados por medio de este método no son, en el fondo, más que meras abreviaturas de caracteres figurativos. De este modo la cabeza de buey ♉ representa un buey, la cabeza de oca ♘ representa una oca, las pupilas del ojo ●●, los ojos, etc.;

—por metonimia, es decir, representando la causa por el efecto, el efecto por la causa o el instrumento por lo que éste produce. Así, se expresa el mes por medio del creciente de la luna ◠, con los cuernos hacia abajo tal como el cuerpo celeste se muestra a la vista hacia finales de mes; el fuego, por medio de una columna de humo saliendo de una cocinilla ♨; la acción de mirar, por la imagen de dos ojos humanos ●●●; el día, por el carácter figurativo del sol»;[3]

—por metáfora, tomando «un objeto que guarda algún tipo de similitud real o generalmente supuesta con el objeto de la idea que expresar. De este modo, era posible representar lo sublime por medio de un halcón ⍦, a causa de la altura a la que vuela este ave; la contemplación o la visión, por el recurso al ojo del halcón ⍤, ya que se atribuía a este pájaro la facultad de fijar su mirada sobre el disco solar; la madre por el buitre, porque a éste se le suponía tanta ternura por sus pequeños que, según se decía, llegaba a alimentarlos con su propia sangre ⍥ »;[4]

—por enigmas (el término es del mismo Champollion), «cuando con el fin de expresar determinada idea se recurre a un objeto físico que mantiene sólo una relación en exceso oscura, ciertamente alejada, y a menudo puramente a nivel convencional con aquel objeto que se pretende representar. Utilizando este método, por su misma naturaleza bastante impreciso, una pluma de avestruz significaría la justicia ⍧, puesto que, según se creía, todas las plumas de esta ave son exactamente iguales».[5]

Estos caracteres jeroglíficos aparecen grabados en piedra, ya sea en relieve o en hueco, representados sobre las paredes de las tumbas o dibujados

3. J.-F. Champollion (1984), págs. 23-24.
4. *Ibid.*, pág. 24.
5. *Ibid.*, pág. 25.

y pintados en papiros, sin que los colores utilizados parezcan tener alguna
función semántica. Todo cuanto tiene relación con el cielo generalmente se
pinta de azul; la tierra y el sol, de rojo; el agua, azul o verde; la carne de los
hombres, roja; la de las mujeres, amarilla; etc., pero la presencia o ausencia
de estos colores no tenía la menor incidencia sobre su sentido. Indiferente-
mente, eran expuestos de manera vertical u horizontal, pudiéndose leer de
derecha a izquierda o de izquierda a derecha. El sentido de la lectura quedaba determinado por la dirección de la mirada de los seres humanos y de
los animales, girada a uno u otro lado al comienzo del texto. Por otra parte,
los nombres de los soberanos egipcios se encontraban inscritos dentro de
un cartucho, marco con el que sin duda se quería representar la parte inferior plana de un escarabajo o de un sello. De esta manera, ⊙ , sin que ni
siquiera haga falta saber descifrar esta escritura, se puede comprender este
grafismo (que por cierto se encuentra en la piedra Rosetta):

    1) que representa el nombre de algún soberano (al estar encerrado
por medio de un cartucho);
    2) que se lee de izquierda a derecha (véase la dirección de la mirada
de los animales).

    Tales grafismos podrían en principio, desde luego, ser «leídos» sin ne-
cesidad de conocer ni una sola palabra de egipcio. Así éste, ⊙ , se podría
«leer» como *sol* en castellano, *soleil* en francés, *sun* en inglés, *ri* en chino,
tilé en bambara, *chems* en árabe, etc. Y los egipcios lo pronunciarían en
su lengua, el copto. De ello se obtiene, desde el punto de vista semiológico, cierta relación entre tres términos:

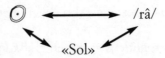

    Al significado («Sol») le corresponde un significante gráfico y un sig-
nificante fónico. Se puede considerar, desde luego, que esto no es muy diferente a lo que sucede en cualquier sistema ortográfico, en el cual se
cuenta igualmente con tres términos:

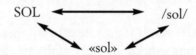

Pero existen dos diferencias fundamentales entre estos ejemplos:

—por una parte, el significante gráfico SOL transcribe el significante fonético /sol/ e implica, por lo tanto, esta significación, mientras que no hay ninguna correspondencia lógica entre el significante gráfico ⊙ y el significante fónico /râ/;

—y por otra parte, y en especial, el sistema egipcio conocería una evolución que a continuación pasamos a describir. Esta evolución se manifiesta a niveles funcionales y formales, sin que necesariamente exista un vínculo entre ambas líneas.

La evolución funcional

Afecta a los mismos principios de la escritura egipcia. La dividiremos en tres etapas: evolución hacia la fonética, hacia la acrofonía y hacia la determinación semántica.

Evolución hacia el fonetismo

En un primer momento, con tal de conseguir transcribir ciertas nociones abstractas un tanto difíciles de representar, se utilizará el ideograma de un objeto cuyo nombre se pronuncia más o menos de la misma manera. Así por ejemplo, por medio de escarabajo 🪲, pronunciado /khéper/, se representaba la noción de devenir, que se pronunciaba igualmente /khéper/.

Se trata, pues, de una especie de adivinanza, como si en francés el ideograma 🐈, cuyo significado fuera «chat», se utilizara desde ese momento, gracias a su significante fónico /sa/, para referirse al antiguo soberano de Irán, el *shah*.* En este tipo de transcripción que, quizás en la actualidad pueda parecernos algo banal (todos los cuadernos infantiles están repletos de juegos semejantes), se esconde sin embargo una revolución muy interesante: el descubrimiento del *fonograma*, del grafismo que transcribe un sonido.

* Ejemplo intraducible al castellano. (*N. del t.*)

Evolución hacia la acrofonía*

Llevada al extremo, la lógica de este sistema conduce a la acrofonía. Un acrónimo es una especie de sigla oral, que toma sólo las consonantes iniciales de cada sílaba. Aparecen de esta manera *acrónimos triliteros* (de tres consonantes):

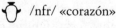 /nfr/ «corazón»

/hpr/ «escarabajo»

/tyw/ «cernícalo», etc.

acrónimos biliteros (de dos consonantes):

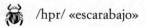 /wn/ «liebre»,

/hn/ «hierba», etc.,

y *acrónimos uniliteros*, que constituyen una especie de alfabeto consonántico de veintiséis elementos (véase la figura 1).

Pero los egipcios no transcribían más que las consonantes, y cada vez que un jeroglífico era utilizado en función no tanto de la idea que representaba como del modo en que se pronunciaba, se producía algo similar a un esquema consonántico. El ejemplo francés antes citado de «chat», , podría servir también para representar tanto «sha» como «chou», «chaud», «chez», etc.

Al igual que en las adivinanzas, se podía transcribir una palabra recurriendo a dos fonogramas como los siguientes: + («chat» + «pot»), lo que serviría en francés para representar «chapeau».

Aunque los egipcios, como hemos dicho antes, no hacían la transcripción más que de las consonantes, este sistema jeroglífico comportaba ciertamente muchas ambigüedades, de alguna forma como si en el ejemplo que hemos elegido en francés, «chapeau», se pudiera referir también a «chope», «chape», «chiper», etc.

* Véase el glosario.

Figura 1. «Alfabeto» egipcio

𓄿	*a*	a	buitre	𓎛	*ḥ*	muy aspirada	trenza
𓇋	*i*	i	caña	𓐍	*ḫ*	kh (h gutural)	reja
𓇌	y	y (yod)	doble caña estilizada	𓄡	*ẖ*	(h gutural)	vientre y cola de mamífero
𓏭	*y̲*	y (od)	doble caña				
𓂝	ʿ	â	antebrazo	𓋴	*s*	s	tela plegada
𓅱	*w*	ou	pequeña codorniz estilizada	𓊃	*š*	s	cerrojo
𓏲	*w*	ou	pequeña codorniz	𓈙	*s*	ch	barreño de agua
𓃀	*b*	b	pie	𓈎	*ḳ*	k	duna
𓊪	*p*	p	asiento	𓎡	*k*	k	cesto con asa
𓆑	*f*	f	víbora con cuernos			f	
𓅓	*m*	m	lechuza	𓎼	*g*	g	soporte de jarra
𓐝	*m*	m	costilla de gacela	𓏏	*t*	t	torta
𓈖	*n*	n	superficie del agua	𓍿	*t*	tj	obstáculo
𓂋	*r*	r	boca	𓂧	*d̲*	d	mano
𓉔	*h*	h aspirada	corazón	𓆓	*d*	dj	cobra

Evolución hacia la determinación semántica

En respuesta a este problema, los egipcios utilizarían algunos jeroglíficos a manera de determinativos semánticos. Así, el signo del sol, 𓇳, universalmente legible como tal, pasó a convertirse en indicador semántico. En 𓌉𓇳𓆓 «maza», /hd/, y «cobra», /dj/, tienen papeles fonéticos, mientras que «sol» dirige la interpretación semántica e incluso la lectura hacia /hedj/, «brillar».

En 𓂋𓇳𓂝, 𓂋 «boca» /r/ y 𓂝 «brazo» /'/ tienen papeles fonéticos, mientras que sol aporta la información semántica e induce incluso la lectura /râ/, «sol» (es decir, que la notación fonética resulta aquí redundante en relación con el pictograma original).

Se pueden encontrar también una serie de notaciones puramente fonéticas:

〈 /ir'/, «en cuanto a» ▫️〰️ /pèn/, «este» 〰️ /rèn/, «nombre».

He aquí, a fin de resumir esta presentación, un ejemplo más completo (véase la figura 2):

Figura 2.

Fuente: Naissance de l'écriture, pág. 124, Louvre AE/N520.

La dirección de la mirada de los animales nos sugiere que aquí es necesario leer de derecha a izquierda. Tenemos por lo tanto:

Primera columna

    «lechuza» = /m/ ⬭ «boca» = /r/ o /mr/, «el depositario» (dos signos fonéticos), /htm/, «el sello» (un ideograma), leyéndose esta primera columna /mr htm/, «el depositario del sello», es decir, «el faraón».

Segunda columna

El cartucho nos sugiere que se trata de un nombre propio real, y nosotros leemos: ◎ /râ/, «sol» (un ideograma), 〖 /w h/, «estable» (fonograma trilítero), ↻ /ib/, «corazón» (un ideograma, determinativo del nombre real), leyéndose esta segunda columna /w h - ib -r /, OUAHIBRE.

Tercera columna

/wn/ «liebre» (fonograma bilítero), /n/, «superficie del agua» (signo alfabético), /nfr/ «corazón y tráquea» (fonograma trilítero), /f/ «víbora con cuernos» (signo alfabético) y /r/ «boca» (signo alfabético), completando de modo redundante estos dos últimos al fonograma precedente.

Así, la tercera columna se leería /wn nfr/, es decir, «ser perfecto».

Por lo tanto, el conjunto puede traducirse como sigue: *el rey* («el depositario del sello») *Ouahibré* (palabra a palabra, «estable es el corazón del rey sol») *Ounnefer* («ser perfecto»), rey cuyo nombre completo (*Ouahibré-Onnefer*) encierra pues un sentido («estable es el corazón del rey sol, ser perfecto»), de la misma manera en que los nombres propios franceses (Dupont, Dumont, Lebrun, Leblanc)* pueden también tener algún significado.

Evolución formal

Hasta el momento no hemos tratado más que de la escritura jeroglífica monumental, la más conocida porque es la más antigua y, desde luego, la más espectacular, pero en el curso de los siglos ésta iba a conocer una evolución formal que produciría dos estados visualmente muy diferentes: la escritura hierática** y la escritura demótica**.

La razón de esta evolución es fundamentalmente técnica. La forma de los caracteres jeroglíficos grabados en piedra se prestaba mal a la transcripción rápida que precisaba una escritura cuyas funciones se estaban transformando. La escritura monumental prácticamente no experimentaría variaciones a lo largo de los tres milenios que abarca su historia. Pero acabaría siendo superada por otras formas. El cálamo, instrumento capaz de trazar a tinta los signos, el papiro, el cuero o la tela como soportes permitían sin duda que la escritura fluyera más ágil, con mayor sutileza. Asistimos a la simplificación del grafismo que no pondrá en cuestión los grandes principios estructurales de la escritura tal como han quedado expuestos.

---

* Traducidos al castellano, estos apellidos serían aproximadamente Delpuente, Delmonte, Moreno, Blanco. (*N. del t.*)

** Véase el glosario.

Primero aparecerá eso que Champollion denominara jeroglíficos lineales, es decir, una forma de simplificación del grafismo que no afecta a la capacidad de evocación propia de los jeroglíficos:

> Estos jeroglíficos lineales constituían la escritura jeroglífica más usual, propiamente dicha, es decir, la escritura de los libros, mientras que los jeroglíficos puros fueron reservados siempre a la escritura que recubría los monumentos públicos.[6]

El siguiente cuadro demuestra que ambas variantes se diferencian únicamente por algunas cuestiones técnicas, las propias del grabado en piedra o de la escritura al pincel:

Figura 3.

La llamada escritura «hierática» apareció durante la época de la primera dinastía y fue fundamentalmente usada por los sacerdotes, de donde proviene su nombre. Lo cierto es que no surgió con la idea de sustituir las inscripciones monumentales grabadas en piedra, sino que coexistiría perfectamente con ellas. Pero el proceso de simplificación del cual es producto haría que los jeroglíficos tuvieran algunas alteraciones importantes, pues, tal como demuestran los ejemplos del cuadro superior, se pasó de los iniciales motivos naturalistas a cierta arbitrariedad en la que sólo el conocimiento «etimológico» puede ayudar a descubrir las formas de partida. La escritura

6. *Ibid.*, pág. 13.

Figura 4.

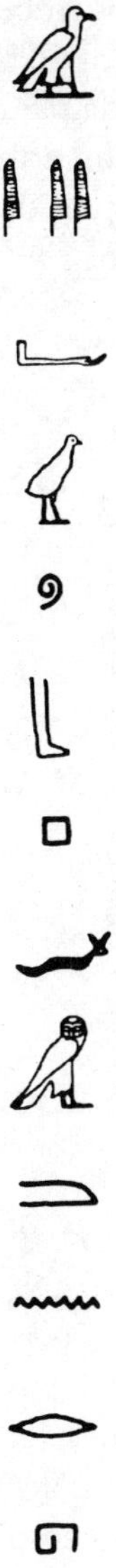

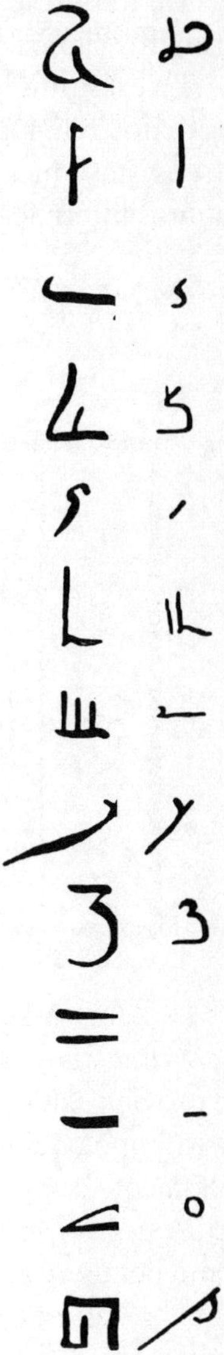

signo	trans-cripción	valor aproximado	forma hierática	forma demótica
	'	aspiración suave, como la pronunciación de la letra 'aleph semítica. En ocasiones vocal: a, o		
	y	y (como en el caso de «yodo»). En ocasiones vocal: i. A menudo débil y confundida con la precedente, en especial como inicial		
	'	quizá similar a la 'aïn semítica. En ocasiones vocal: â, o		
	w	w inglesa		
	b	b		
	p	p		
	f	f		
	m	m		
	n	n		
	r	r		
	h	h suave		

Fuente: H. Sottas y E. Drioton, *Introduction à l'étude des hiéroglyphes*, París, Librairie orientaliste Guethner, 1989, pág. XII.

hierática daría enseguida paso a la escritura «demótica», que iba a simplificar todavía en mayor medida los jeroglíficos y, claro está, también los signos, cosa que hace enormemente compleja su lectura y, al mismo tiempo, muy diferente su apariencia de las grafías de los comienzos.

De lo que se trata, en definitiva, es de la transformación de los trece primeros signos del «alfabeto» egipcio que hemos presentado más arriba.

La escritura hierática estilizada quedaría en lo sucesivo reservada para los textos religiosos, al mismo tiempo que pasaría a convertirse en un arte de copistas, mientras que los documentos administrativos o los propios de asuntos internacionales, por ejemplo, serían redactados en demótico.

LOS NOMBRES PROPIOS

Los *nombres de los faraones* (fonéticos o bien fonético-figurativos), enmarcados por el cartucho:

AMOSIS   MENES   PEPI

Los reyes extranjeros

PTOLOMEO

   P
                        O
                        T
                        L
                        YS

           ALEJANDRO

N
D
R
S

        I   L   A
            K
            S

Los dioses

representados por un personaje barbudo , como AMMON

o imberbe en el caso de las diosas: , como TAFNE.

LA HISTORIA DEL DESCIFRAMIENTO DE LA ESCRITURA EGIPCIA

1) En el siglo XVII, Athanasius Kircher tiene la intuición de que la lengua hablada por los antiguos egipcios correspondía al copto. Pero sus intentos de desciframiento resultan infructuosos.

2) Durante el siglo XVIII, se sugiere la hipótesis de que los cartuchos enmarcan los nombres de dioses y/o de reyes.

3) El 19 de julio de 1799, se descubre la llamada piedra Rosetta, que se convierte en el texto central de todas las investigaciones. En ella se contiene el texto de un decreto de Ptolomeo V en tres versiones: jeroglífica, demótica y griega. Desde ese momento los investigadores disponen por lo tanto de la lengua que estos textos, por entonces aún incomprensibles, transcriben, de una clave (como son los cartuchos) y de un documento bi o trilingüe. El gran problema sería entonces encontrar las relaciones entre los jeroglíficos y la escritura demótica.

4) Silvestre de Sacy, Johan Akerblad y más tarde Thomas Young intentan descifrar el texto de la piedra en demótico.

5) Partiendo de la «hipótesis copta», lengua que conocía bien, y de la ayuda de los cartuchos, Jean-François Champollion comienza a descifrar los nombres de reyes (analizando por ejemplo los signos fonéticos comunes en la transcripción de los nombres de Cleopatra y de Ptolomeo), y poco tiempo después la totalidad del sistema, que expone el 14 de septiembre de 1822 en su «carta a Dacier», secretario perpetuo de la Académie des inscriptions et belles-lettres, carta que será leída el 27 de septiembre ante un público académico.

Capítulo 4

La escritura china

En el curso del invierno de 1898-1899 se descubrió en China, cerca del pueblecito de Siao T'chuen, algunos caparazones de tortuga sobre los cuales habían grabadas inscripciones. Se trataba de restos de una antigua práctica, la osteomancia: los adivinos trazaban sobre estos caparazones, o sobre omóplatos de buey (sin duda los animales eran ritualmente sacrificados), las preguntas de quienes les consultaban, después aplicaban al hueso un hierro calentado al blanco e interpretaban las resquebrajaduras producidas de ese modo. Gracias a tales prácticas podemos contar con los primeros testimonios de la escritura china sobre diferentes soportes, rastreables pese al tiempo transcurrido:

—los *kia wen*, inscripciones sobre escamas y caparazones que datan de los siglos XII u XI a.C.,
—los *kin wen*, inscripciones sobre bronce realizadas hacia el siglo VIII a.C.,
—más tarde los sellos, escritura sigilaria grabada sobre piedra o marfil,
—los caracteres clásicos, trazados por medio de pincel,
—y por último los caracteres simplificados de la reciente China comunista.

De este modo, a través de tales variantes, más de treinta siglos de historia se despliegan ante nuestra mirada. Tomemos como ejemplo el de la tortuga (en mandarín: *gui*). Este animal aparece, en inscripciones sobre hueso, bajo diversas formas:

hela aquí sobre vasos de bronce:

sobre sellos:

en grafía clásica:

y finalmente en su forma recientemente simplificada:

Igualmente se pueden seguir otras etimologías gráficas, como por ejemplo la del carro (en mandarín: *che*), que en la actualidad entra en la composición de todos aquellos caracteres que tienen que ver con el concepto de vehículo, y en el cual se adivina, visto desde arriba, un eje con dos ruedas en sus extremos:

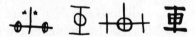

El de pájaro (en mandarín, *niao*):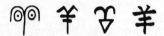

O el del carnero (en mandarín, *yang*):

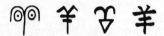

Todos ellos demuestran que la grafía fue modificándose poco a poco, en el paso del punzón al pincel, y que durante el curso de esta evolución esencialmente técnica el signo fue haciéndose cada vez más autónomo, alejándose de la imitación de la realidad. Este distanciamiento del motivo naturalista de los pictogramas resulta desde luego comparable al que hemos podido observar en anteriores capítulos a

propósito de los signos cuneiformes sumerios o de los jeroglíficos egipcios. Y este alejamiento de los motivos hace que, en ocasiones, se pier-
da en el camino una parte importante de la información. Así, la mujer
(en mandarín, *nu*), que en la actualidad se escribe del siguiente modo:
女 , fue en su origen 㐱, representada agachada, en actitud de trabajo,
de oración o de sumisión.

Figura 1. Evolución de los caracteres

La escritura china iría evolucionando progresivamente desde los primeros pictogramas grabados sobre los caparazones de las tortugas hasta
los caracteres clásicos. Los ejemplos que a continuación expondremos
nos demuestran que la relativa fuerza del motivo naturalista de las primeras grafías, que recuerdan más o menos el objeto designado, iría desapareciendo con el paso de los siglos.

(I: grafía sobre hueso, II: grafía sobre bronce, III: sellos, IV: grafía clásica, V: eventualmente, grafía simplificada.)

Como se puede ver, pues, inicialmente los pictogramas —y esto estamos tentados de repetirlo cada vez— fueron evolucionando rápidamente
hacia cierto sistema de escritura cuyos elementos se derivan a menudo
unos de otros. Acerca, por ejemplo, del carácter árbol 木, (en mandarín,
mu) se puede subrayar la parte baja 本 con el fin de hacer la transcripción en mandarín de la palabra *ben*, «raíz» o «base», o igualmente subrayar
la parte alta, 末, si lo que se quiere es la palabra mandarín *mo*, «punta»
o «extremidad».

Estos caracteres, correspondientes cada uno de ellos a una palabra, se
utilizarían poco después en combinación. Retomemos el ejemplo de árbol, añadámosle un segundo árbol 林 y obtendremos así el carácter *lin*,
«bosque», pero añadámosle todavía un tercer árbol 森 y tendremos la
palabra mandarín *sen*, que en principio designaba un gran bosque y que
en la actualidad significa «numeroso» o «sombra».

Los ejemplos de caracteres compuestos a partir de árbol son simples,
e incluso lógicos. Pero tales combinaciones pueden decirnos muchas cosas
sobre la sociedad y sobre su ideología. Fijémonos por ejemplo en la
mujer, de la que ya hemos indicado que al principio se la representaba en
posición sumisa. Podemos encontrarla en *an*, «paz» o «tranquilidad» (en
la figura 2, A), en realidad, una mujer bajo un techo o ante el hogar... Si se
le añade el carácter de niño obtendremos (B), *hao*, que significa «bueno»
o «moral». La combinación de mujer y de la mano del marido dará *nu*,
«esclavo» (C), y el esclavo asociado a corazón, *xin*, que de modo general
sugiere los sentimientos, nos da *nu* (con un tono diferente de *nu*, «mujer»), que entonces significa «cólera», «furor» (D), es decir, el sentimiento propio del esclavo...

El carácter de la mujer, asociado al carácter *jia*, «casa», da también *jia*
(como antes, con diferente tono), «casarse» (E). Por último, la mujer aso-
ciada al carácter referente a «escoba» da *qi*, «esposa» (F). Todo esto,
como se puede ver, forma parte de la sociología y nos permite adivinar la
manera en que se trataba a las mujeres en la antigua China...

Es elevado el número de tales derivaciones, que, por cierto, en ocasiones resultan bastante poéticas. He aquí por ejemplo *he*, el cereal 禾
con la espiga que pende a izquierda, tal y como muestran las antiguas
grafías:

Figura 2. Los caracteres compuestos a partir del carácter «mujer»

A *an*, «paz» o «tranquilidad» (una mujer bajo techo)

安

B *hao*, «bueno», «moral» (mujer más niño)

好

C *nu*, «esclavo» (mujer y mano del marido)

奴

D *nu*, «cólera» (esclavo y corazón = sentimiento)

怒

E *jia*, «casarse con un hombre» (mujer y casa)

嫁

F *qi*, «esposa» (mujer más escoba)

妻

Añadámosle *huo*, el fuego 火 . *He* + *huo* = *qiu* 秋 , el otoño, que se puede considerar desde luego como «la época durante la cual los cereales adoptan el color del fuego». Añadamos ahora a *qiu* el carácter del corazón, carácter genérico de los sentimientos, como ya hemos dicho antes, y obtendremos *chou*, «melancolía», que se puede considerar el «sentimiento propio del otoño» o también «el sentimiento de la época en que los cereales adoptan el color del fuego»: *qiu* + *xin* = *chou*.

Del mismo modo la combinación de mano, *shou* 手 y ojo, 目 *mu*, nos da *kan*, 看 «mirar». O también la de cabeza, 田 *xìn*, y corazón *xin* 心 da *si* 思 , «pensar», «meditar».

Se pueden observar por lo tanto varias combinaciones gráficas que no mantienen correspondencias fónicas (lo contrario de las combinaciones alfabéticas como b + a = ba): los caracteres, al combinarse, combinan ideas, sentidos, pero no sonidos, tal como demuestra el ejemplo de melancolía (*qiu* + *xin* = *chou*).

Pero los caracteres pueden igualmente ser utilizados en virtud de su sonido. He aquí por ejemplo el carácter propio de diente: *ya* 牙 . Combinado con el carácter pájaro 隹 da 雅 *ya*, cuervo, pronunciado con tono diferente: *ýa* y *ȳa*. Y esta composición abre la puerta a diferentes interpretaciones, en ocasiones establecidas por las etimologías populares. ¿Cabrá entender así que «el pájaro que tiene el pico como un diente» o «el pájaro cuyo nombre, *ya*, se parece al de diente, *ya*», sea el cuervo? Esta utilización de los caracteres como indicadores fonéticos resulta también muy frecuente.

Veamos una serie que nos ilustrará sobre esta posibilidad. Con el carácter referido a caballo, *ma* (A), y el de mujer, puede obtenerse *ma*, la madre (B), es decir, mujer, que se pronuncia de manera similar a caballo. El mismo caballo combinado con boca da *ma*, partícula interrogativa (C). Combinado con el carácter piedra, caballo da *ma*, peso o número (D), y combinado con dos bocas da *ma*, insulto (E).

A	B	C	D	E
caballo	madre	interrogación	peso	insulto
馬	媽	嗎	碼	罵

En todos estos casos, la pronunciación resulta bastante similar, con tonos parecidos, y el carácter inicial, el de caballo, sirve de fonética, mientras que el otro indica el sentido. El carácter B se puede entender del siguiente modo: se pronuncia casi igual que caballo, *ma*, y tiene relación con mujer, pues madre es *ma*.

Aquí será necesario añadir una pequeña precisión. El lector habrá notado que los caracteres relativos a caballo o a mujer no mantienen la misma proporción según se encuentren aislados o en relación con otros componentes. De hecho, si nos imaginamos un carácter chino dentro de un cuadrado (las páginas de los cuadernos escolares están a veces formadas por muchos cuadraditos), el carácter simple deberá reducirse al entrar en relación con otros. Así, para retomar un ejemplo visto anteriormente, árbol se escribía del modo siguiente: 木

Dentro del carácter que sirve para designar bosque, deberá reducirse (y desdoblarse): 林

Y tomará diversos tamaños para designar el bosque: 森

De modo general, no existe pues un vínculo evidente entre el *significante gráfico* que constituye un carácter y el *significante fónico* que constituye su pronunciación (existiendo por otra parte la posibilidad de numerosas pronunciaciones posibles, como veremos más adelante: no hemos proporcionado aquí más que la pronunciación en mandarín, es decir, sólo una de las muchas lenguas chinas, la lengua oficial). Al igual que los primeros jeroglíficos egipcios, los caracteres chinos no transcriben los sonidos, sino las ideas (al menos el carácter simple, puesto que ya hemos visto que dentro de un conjunto algunos pueden interpretar papeles fonéticos). En estos tres términos que para un chino letrado se encuentran en relación evidente:

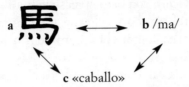

a 馬 ←——→ b /ma/

c «caballo»

—se pueden conocer los tres términos y su relación. (Ello supone un problema teórico: ¿se trata de dos signos «binarios», de ésos a los que se refería Saussure habitualmente, siendo el uno gráfico y el otro fónico? ¿O bien estamos ante un signo «ternario»?);

—se puede conocer más sólo la pareja b-c, lo que sería el caso de cualquier chino no demasiado letrado;

—se puede conocer sólo la pareja a-c, es decir, uno puede ser capaz de «leer» el carácter sin saber una palabra de chino: se pronunciará entonces en su propia lengua o en su dialecto.

Esta última posibilidad no es solamente el caso de quienes son capaces de leer el chino sin saber pronunciarlo (como, por ejemplo, los japoneses). Tal cosa les puede suceder incluso a los mismos chinos al encontrarse ante determinados caracteres, como se demuestra en el siguiente texto:

> En cuanto disponía de algún momento libre, me dedicaba a leer de la primera a la última línea los periódicos que se recibían en la residencia. Desde los diarios más importantes a los periodicuchos, noticias y editoriales, mi tiempo pasaba dedicado por completo a la lectura, incluso cuando se producía el caso de que no entendiera nada. Esto me ayudó mucho, sin embargo: de esta manera aprendí multitud de cosas y numerosos caracteres que antes me eran por completo desconocidos. Todavía hoy existen muchísimos caracteres que no sé cómo se pronuncian, aunque me he acostumbrado a leerlos y al menos soy capaz de adivinar su sentido, del mismo modo en que a veces encontramos en la calle a gente de las que no podemos recordar su nombre aunque su rostro nos resulta familiar. (Lao She, «Historia de mi vida», en *Gente de Pekín*.)

Se trata de un problema interesante y quizás algo difícil de entender para quienes estamos acostumbrados a las escrituras alfabéticas: ¿cómo encontrar una palabra concreta en los diccionarios chinos? Para ello hay que estar familiarizado con un par de cosas:

—existen en chino doscientas catorce «claves» o «radicales», caracteres que entran en relación con otros (véase la figura 3), por lo que primeramente será necesario reconocer el radical de un carácter concreto,

—después hace falta contar el número de trazos del carácter.

Es decir, que en los caracteres complejos el papel de cada uno de sus componentes es distinto. En general se distingue entre el carácter radical y el fonético. Y existe, pues, una lista de doscientos catorce radicales, que habitualmente se clasifican según el orden creciente de los trazos. Es necesario saber encontrar primeramente el radical del carácter en cuestión. Por ejemplo, los caracteres siguientes disponen todos del mismo radical: el radical de

Figura 3. Los doscientos catorce radicales

CLEFS CHINOISES.

Fuente: *Enciclopedia* de Diderot y d'Alembert.

corazón, *xin*, que aparecería aislado bajo esta forma, 心, pero que dentro de un conjunto puede aparecer así: 忘 乑 忄.

Por ejemplo, los seis caracteres siguientes:

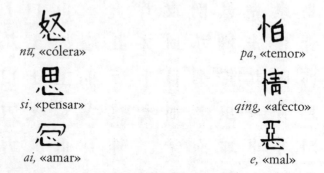

怒
nū, «cólera»

怕
pa, «temor»

思
si, «pensar»

情
qing, «afecto»

忈
ai, «amar»

惡
e, «mal»

poseen todos el mismo radical. Para encontrarlos en un diccionario chino, es preciso contar ahora el número de trazos que aparecen en el resto del carácter (es decir, sin tener en cuenta el radical). El primer carácter, *nu*, está compuesto por cinco trazos, y se encontrará en un diccionario clasificado con el radical sesenta y uno, y bajo la cifra cinco.

Queda por tratar todavía el aspecto propiamente gráfico de estos caracteres. Se puede, en efecto, intentar reproducirlo, «recopiarlo», pero un chino advertirá a primer golpe de vista que un extranjero ha copiado el carácter. Y es que, por supuesto, no pueden escribirse de cualquier manera. Retomemos el ejemplo de la tortuga, *gui*. El carácter clásico se compone de dieciséis trazos, que hay que trazar en estricto orden:

Este orden obligatorio a la hora de trazar cada línea es general. He aquí un ejemplo simple, de dos trazos, el carácter correspondiente a hombre, *ren*:

de tres trazos, *kou,* boca

de cuatro trazos, *mu,* árbol

hasta este antiguo carácter para jardín, *you,* que implica veintiún trazos

La dificultad de aprendizaje y de memorización de los caracteres llevó al régimen comunista chino a proponer cierta simplificación, por lo menos de los que aparecen con mayor frecuencia, con el fin de facilitar al acceso del pueblo a la escritura. En 1955 se publicó una lista de quinientos quince caracteres y cincuenta y cuatro partículas simplificadas. Esta reforma redujo a ocho los dieciséis trazos necesarios por carácter. Así, el carácter correspondiente a tortuga fue simplificado del siguiente modo, pasando de dieciséis a siete trazos: 龟

Pero aunque con esta reforma se consiguió efectivamente simplificar esos caracteres, en ocasiones también los hizo más oscuros. Por ejemplo, este dibujo 計, que se lee *ji* en mandarín y que significa «contar», se compone a la izquierda del carácter correspondiente a palabra y a la derecha del número diez: «contar» significa «saber decir hasta diez». Su forma simplificada, 计, disimula sin duda esta «etimología». De la misma manera, «carro», 車, cuya evolución ya hemos seguido, deja de recordar bajo su forma simplificada 车 la barquilla, el eje y las ruedas vistas desde arriba. Por otro lado, estos caracteres simplificados sólo son utilizados en la China comunista: en Taiwan, Hong Kong, Singapur y en toda la diáspora se siguen utilizando todavía los caracteres clásicos.

Tales caracteres, que tan fascinantes nos resultan desde el mismo momento en que los vemos impresos, están, por lo tanto, sometidos a la mano del hombre, a su escritura, reflejan su sensibilidad y su deseo de búsqueda estética, por lo que la caligrafía china es considerada un arte, al igual que la pintura: en realidad se utilizan los mismos instrumentos, tinta y pincel, tanto para escribir como para pintar.

Por tanto, el dibujo es en este caso poesía, destinándose tanto a la mirada como a la lectura. En estos versos de Wang Wei, que se pueden traducir como «en el extremo de las ramas flor de hibisco»,

木 末 茉 蓉 花

se puede leer una historia completa. Al árbol 木, al cual se le añade algo con tal de expresar extremidad 末, se le añade también ⺾, que designa la hierba, y para expresar brote 茉 se le añade la aparición del brote 蓉 y finalmente la flor 花 .

He aquí otro ejemplo conocido, el del poeta Tu Fu quien, durante una época calurosa y con el fin de expresar la espera de una lluvia que parece no llegar nunca, utiliza caracteres en los cuales la lluvia, 雨, aparece varias veces:

雷	霆	空	霹	靂
relámpago	trueno	en vano	retumbando	ruidoso
雲	雨	竟	虛	無
nube	lluvia	finalmente	ilusoria	nada

De esta manera, la poesía habla de forma diferente al ojo y a la oreja, perdiéndose parte de su información con el texto meramente oral: la poesía surge a la vez de las sonoridades y de la composición gráfica.

Algunos acertijos juegan igualmente con la forma de los caracteres. Aquí tenemos uno enunciado en seis afirmaciones que implican otros tantos indicios gráficos:

1. 一月復一月   una luna después de otra luna

2. 兩月共羊几辺   dos lunas que tienen la mitad en común

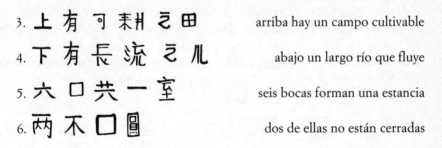

3. 上 有 可 耒 之 田   arriba hay un campo cultivable

4. 下 有 長 流 之 川   abajo un largo río que fluye

5. 六 口 共 一 室   seis bocas forman una estancia

6. 兩 不 口 圓   dos de ellas no están cerradas

Si se quiere encontrar la solución al enigma es necesario saber:

1) que la luna se escribe así 月,

2) que dos lunas que tienen la mitad en común equivalen a 用, lo que supone ya la solución (用 = «eficacia», en mandarín *yong*). Las demás pistas resultan por lo tanto redundantes:

3) campo se escribe 田,
4) río se escribe 川,
5) boca se escribe 口.

Así pues el carácter que se había de descubrir, para las necesidades del acertijo, había sido «fragmentado», según el caso, en campo, en seis bocas de las cuales dos están incompletas, en río, en dos lunas...

El hecho de que la escritura china no transcriba sonidos sino sólo el sentido abre interesantes perspectivas a la escritura poética, permitiendo al mismo tiempo juegos de «palabras» de lo más singular gracias al retorno de la lengua oral sobre su transcripción. Los comerciantes de Cantón, por ejemplo, disponían de una especie de argot que utilizaba la forma de los caracteres en lo referente a las cifras:

一	uno	=	口	底	el fondo de la mañana
二	dos	=	扌宀	工	cavar a mitad de trabajo
三	tres	=	桟	川	río horizontal
四	cuatro	=	側	目	ladear el ojo
五	cinco	=	缺	丑	fealdad fallida

六	seis	=	斷 亇 大	grandeza cercenada
七	siete	=	芸 底	el fondo del jabón
八	ocho	=	公 頭	cabeza de oficial
九	nueve	=	未 丸	píldora inacabada
十	diez	=	田 心	el corazón del campo

A la izquierda se lee el carácter que anota las cifras del uno al diez; en el centro, la frase china que, en argot, designaba esa cifra; y a la derecha, la traducción de esa frase. La frase seguramente era de carácter oral, tenía que ser *dicha*, pero no tenía sentido más que en relación con la grafía. De este modo, mañana se escribe 一 y fondo de la mañana es 日, «uno», píldora se escribe 九 y píldora inacabada da 丸, «nueve», campo se escribe 田 y corazón (en sentido de «centro») del campo es ┼, «diez», etc.

Este juego con las formas, este vaivén entre lo oral y lo escrito, se produce desde luego en todas las lenguas escritas (por ejemplo, en español poner los puntos sobre las íes, en francés *mettre les points sur les i*, en inglés *to dot the i's and cross the t's*), pero en el caso del chino las posibilidades resultan casi infinitas.

En virtud de esta característica de la escritura, del hecho de que no transcriba los sonidos, se deduce también el hecho de que, a pesar de la importante diversidad de las lenguas chinas, siempre se puedan comprender por escrito. No hay que caer en la tentación de pensar que «el» chino constituye una única lengua. En China se hablan, además de una cincuentena de «lenguas minoritarias» (habladas por un 5 % de la población, lo que en este caso no es poco), las lenguas del grupo Han, es decir, *las* lenguas chinas, las cuales son en realidad siete lenguas diferentes, que un especialista ha clasificado del modo siguiente:

Cuadro de las lenguas chinas

Zona 1 (*sudeste de China*)	Zona 2 (*dialectos mandarines*)

1. Cantón
2. Kan Hakka
3. Amoy Swatou
4. Fujian
5. Wu
6. Xiang
	7. Pekín, Manchuria,
	   cuenca del Huang-Tse
	8. Hankou, Nankin
	9. Sudeste, Sichuan, Yunnan,
	   Guizhou, Guangxí, Hubei

Fuente: M. Coyaud, *Questions de grammaire chinoise*, París, 1969.

Y Maurice Coyaud comenta:

La inteligibilidad entre las lenguas de la primera zona y las de la segunda es prácticamente nula (similar al caso del español y del francés): entre las lenguas de la primera zona la inteligibilidad es muy poca o nula. Se podría decir, por tanto, que estos «dialectos» vienen a ser en realidad lenguas diferentes. Por el contrario, el mandarín es una sola lengua, con los tres dialectos que se indican.

En aquellos mercados en los que se hablan distintas lenguas, si llega el caso de que la gente no se comprenda porque no se expresan en el mismo «dialecto», a menudo se les ve esbozar con un dedo y la palma de la otra mano la forma de algún carácter. De este modo, los pequineses y los cantones pueden llegar a comprenderse, aunque quizás pronuncien de modo diferente este carácter: la grafía implica fonías distintas, pero el mismo significado.

Capítulo 5

La expansión de la escritura china: Corea, Annam, Japón

La escritura clásica china, a la que nos hemos referido en el capítulo anterior, quedó definitivamente establecida a comienzos de nuestra era y apenas ha variado, dejando de lado las simplificaciones operadas ya en el período de la China comunista. Desde entonces se fue extendiendo por los territorios vecinos, en especial como línea de penetración del budismo. Surgida en la India hará aproximadamente dos mil quinientos años, esta religión se introdujo en China durante los primeros siglos de nuestra era, en donde adquirió formas diferentes a las de la India, añadiéndose a los textos base (*sutras*, obras de metafísica, etc.), todos ellos traducidos al chino, otras obras originales (biografías de monjes, comentarios, glosas, etc.) directamente escritas en chino. Esta versión china del budismo se extendería rápidamente por países como Corea, Vietnam, y más tarde Japón, siendo el chino clásico, por tanto, la lengua en que estos países tendrían acceso al canon budista. Se puede entender entonces la razón por la cual la religión ha desempeñado aquí, como en tantas otras cosas, tan importante papel dentro de la historia de la escritura, y por qué los caracteres chinos fueron el catalizador de la aparición en Corea o Japón de sistemas de transcripción de las lenguas locales. Será esta expansión, y posteriormente la adaptación de los caracteres chinos por parte de los países vecinos, lo que ahora vamos a exponer someramente.

La escritura coreana

Corea recibiría la escritura de China, por lo que durante muchos siglos sus caracteres serán el único sistema de escritura empleado. Por una parte se escribía en chino y, por otra, los caracteres chinos eran utilizados para realizar la transcripción del coreano. Pero tal sistema de notación resultaba problemático. El chino y el coreano son dos lenguas que no tienen exactamente en común la misma estructura, y allí donde el chino, lengua «aislante», dispone de palabras invariables y muy a menudo monosilábicas, el coreano, lengua «aglutinante», tiene palabras compuestas por varias sílabas, contando también con numerosas inflexiones y diversos sufijos gramaticales. Por tanto, lo que se puso en práctica era un sistema mixto, que utilizaba ciertos caracteres chinos a manera de indicadores fonéticos, en especial para las desinencias gramaticales, y otros en virtud de su valor semántico. Esto quiere decir que durante siglos los coreanos más letrados escribían en chino (al igual que los europeos cultivados eran capaces de escribir en latín), practicando por otro lado la adaptación de los caracteres chinos con el fin de lograr la notación de la lengua coreana. Pero las dificultades que implica semejante sistema explican la razón por la cual se decidió buscar otro.

Tradicionalmente la invención del alfabeto coreano ha sido atribuida al rey Sejong, en el año 1443. En realidad resulta más probable que este monarca simplemente se limitara a reunir una comisión de especialistas a los cuales se les pidió que crearan un modelo coreano de escritura propiamente dicho. Sea como fuere, el resultado de estas diligencias es una obra, *Hunmin Chong'um* (*Los sonidos habituales para la instrucción del pueblo*), que presenta un alfabeto que suscitaría las burlas de los intelectuales de la época, acostumbrados a la escritura china (y, gracias a ella, al poder que su conocimiento les confería) y que sería bautizado como *onmum*, «escritura vernácula». No será hasta comienzos de este siglo cuando el sistema sea conocido como *han'gul*, «la gran escritura». Ésta se compone de veintiocho elementos (de entre los cuales cuatro no son utilizados en la actualidad, porque los sonidos que transcribían ya no existen), consonánticos o vocálicos, que se combinan entre sí para construir sílabas (véase la figura 1) y cuya forma recuerda en cierta medida a los caracteres chinos. En particular, se escribe sílaba a sílaba, y el signo silábico (combinación de consonante y vocal) se puede inscribir, al igual que el carácter chino, dentro de una especie de cuadrado imaginario. Como ha dicho Viviane Alleton, «la manera de distribuir los signos alfabéticos en la página recuerda la de los caracteres chinos».[1] Se trata por lo tanto de un alfabeto, pero de un alfabeto utilizado como sistema silábico. El *han'gul* se estableció sobre la base de un análisis muy cuidadoso de la fonología de la lengua, y la precisión de esta escritura, su perfecta adecuación a la lengua coreana, hace que el *han'gul* a menudo sea considerado como el mejor alfabeto del mundo.

Figura 1. Combinaciones de consonantes y vocales en el alfabeto coreano

		ㅏ	ㅑ	ㅓ	ㅕ	ㅗ	ㅛ	ㅜ	ㅠ	ㅡ	ㅣ
		a	ya	ec	yeo	o	yo	u	yu	eu	i
ㄱ	g (k)	가	갸	거	겨	교	꾜	구	규	그	기
ㄴ	n	나	냐	너	녀	노	뇨	누	뉴	느	니
ㄷ	d	다	댜	더	뎌	도	됴	두	듀	드	디
ㄹ	s(l)	라	랴	러	려	로	료	루	류	르	리
ㅁ	m	마	먀	머	며	모	묘	무	뮤	므	미
ㅂ	b	바	뱌	버	벼	보	뵤	부	뷰	브	비
ㅅ	s	사	샤	서	셔	소	쇼	수	슈	스	시
ㅇ	✗	아	야	어	여	오	요	우	유	으	어
ㅈ	j	자	쟈	저	져	조	죠	주	쥬	즈	지
ㅊ	ch	차	챠	처	쳐	초	쵸	추	츄	츠	치
ㅋ	k	카	캬	커	켜	코	쿄	쿠	큐	크	캐
ㅌ	t	타	탸	터	텨	토	툐	투	튜	트	티
ㅍ	p	파	퍄	퍼	펴	포	표	푸	퓨	프	피
ㅎ	h	하	햐	허	혀	호	효	후	휴	흐	히

Este sistema de transcripción coexistiría al principio con los caracteres chinos, sirviendo para indicar la pronunciación y las desinencias. Después se pasó poco a poco a la escritura del coreano recurriendo únicamente al *han'gul*. La situación en la actualidad resulta algo paradójica: en Corea del Norte, país que política y geográficamente se encuentra próxi-

1. Viviane Alleton, *L'Écriture chinoise*, París, PUF, 1970, pág. 110.

mo a China, se escribe exclusivamente en *han'gul*, mientras que en Corea del Sur, políticamente alejada del modelo chino, se continúa utilizando una mezcla de *han'gul* y de caracteres chinos.

LA ESCRITURA «ANNAMITA»

Como se sabe, Annam es el nombre dado por los chinos a Vietnam (el «sur pacificado»). Esta región, al igual que Corea, conoció el budismo en versión china y a través de los textos en esa lengua. Fue así como se constituyó una clase cultivada, capaz de leer y de escribir perfectamente el chino (si bien pronunciado «a la manera vietnamita»), y hasta finales del siglo XIX cualquier texto culto era redactado e impreso en chino. Paralelamente, aparecería una literatura popular escrita con la ayuda de caracteres chinos adaptados al vietnamita, una escritura que se conoce como *nôm* («popular» o «vulgar»). Esta adaptación obedecía a tres principios diferentes:

1) en determinados casos, el carácter chino era utilizado para transcribir el mismo sentido que transcribía en chino, pronunciándose, no obstante, de forma distinta. Así, el carácter que en chino sirve para transcribir «tierra» se utilizaba con ese mismo sentido, aun teniendo diferente pronunciación:

en chino *tu* («tierra»): 土
en vietnamita *ho* («tierra»): 土

2) en otros casos, fueron creados nuevos caracteres que entraban en combinación con los chinos. Por ejemplo, para transcribir el verbo vietnamita *an*, «comer», se utiliza el carácter que significa «paz» (en chino, *an*) precedido del carácter que significa «boca». En este caso, uno de los caracteres funciona a manera de indicador fonético y el otro de indicador semántico:

«paz» (*an*) 安 + «boca» 口 = «comer» (*an*) 口安

3) por último, el carácter chino se podía utilizar en virtud de su valor fonético: servía entonces para transcribir el mismo sonido que en chino, aun teniendo diferente sentido.

Figura 2. El alfabeto vietnamita

En la columna de la izquierda la a es breve (a); y en la columna
de la derecha, larga (â).

Letras
a, b, c, d, d, e, g, h, i, k, l, m, n, o, p, q, r, s, t, u, v, x, z.
Nota: la d equivale a nuestra d. La d no barrada es una letra suplementaria.

Tonos

Tono igual	a	â
Tono agudo	á	ấ
Tono ascendente	à	à
Tono interrogativo grave	ả	ẩ
Tono interrogativo agudo o quebrado	ã	ẫ
Tono grave	ạ	ậ

Fuente: James Février, *Histoire de l'écriture*, pág. 558.

Este sistema en extremo complejo e imperfecto (en particular resulta
difícil saber, en lo relativo a un carácter, cual de los tres principios citados
más arriba se precisa aplicar) se verá reemplazado por un alfabeto latino
puesto a punto por los misioneros portugueses, que comporta veinticuatro letras y un sistema de acentuación que transcribe los seis tonos propios del vietnamita (véase la figura 2). Es este alfabeto el que en la actualidad se utiliza oficialmente en Vietnam.

LA ESCRITURA JAPONESA

También en este caso el budismo sería vehículo de introducción de la
escritura china en Japón, cuyos caracteres, sin embargo, habían pasado
previamente por el tamiz de Corea. Y, al igual que en el caso coreano, la lengua japonesa tampoco tenía nada en común con la china, por lo que la
adaptación de su escritura resultaría no ser tarea nada fácil. Y no obstante
fue utilizada largo tiempo, combinándose la lectura semántica y la lectura
fonética de los caracteres. Sería de esta lectura fonética de la que nacerían
los *kana* (en japonés, «los caracteres»), dos conjuntos de signos con los que
se transcribían todas las sílabas del japonés (véase la figura 3). Los *kata-*

kana se derivan por una parte de ciertos caracteres chinos. Así por ejemplo, el carácter 奴, en chino *nu*, «esclavo», pasa a convertirse en 又 , transcribiendo entonces el sonido *nu*. Por su parte, los *hira-kana* están formados a partir de grafías cursivas chinas; de este modo, y para retomar el carácter anterior, éste se convierte en ぬ, siempre como transcripción de la sílaba *nu*.

Estos *kana* bastaban perfectamente para transcribir la lengua japonesa, y durante mucho tiempo las mujeres, cuya educación no se estimulaba demasiado, aprendían a leer sólo los *kana*, mientras que los hombres, en especial los más cultivados, practicaban la escritura china. De este modo la prensa, las obras de carácter técnico y científico o los textos literarios utilizaban muchos miles de caracteres a los cuales se les añadía una notación en *kana*, principalmente por estas dos razones:

—tras un carácter, la notación en *kana* se utilizaba a manera de indicativo de las partículas gramaticales;
—junto a un carácter, servía para transcribir su pronunciación.

Fue después de la Segunda Guerra Mundial cuando se produjo un gran debate en relación con la escritura japonesa. Los norteamericanos, cuya influencia comenzaba entonces a ser más que notable, intentaron imponer cierta notación alfabética latina,[2] aunque finalmente se decidió recurrir a un sistema mixto: 1.850 caracteres chinos (que son enseñados en las escuelas y utilizados por los diarios) que se completan con los *kana*. Estos caracteres chinos (los cuales en japonés son denominados *kanji*) conservados en la escritura «oficial» (su lista sería establecida en 1956 por medio de un decreto del Ministerio de Instrucción Pública) se pueden leer de dos modos distintos:

1) «A la manera china», registrando ciertamente múltiples alteraciones, diciéndose entonces que el carácter es leído según su *on*, es decir, su «sonido». Retomando un ejemplo del que nos hemos servido más arriba a propósito de la escritura annamita, el carácter chino 安, *an* («paz»), se lee de este modo en francés *an* para transcribir el nombre «Anne».*
2) Se pueden leer también según el *kun*, su «sentido», es decir, es el caso en que el ideograma chino es leído en japonés. En este caso, el carácter precedente se leería en francés «paix».* En la lectura según el *kun*,

2. *Ibid.*, pág. 113.
* Se trata una vez más de ejemplos intraducibles al castellano. (*N. del t.*)

Figura 3. Los kana

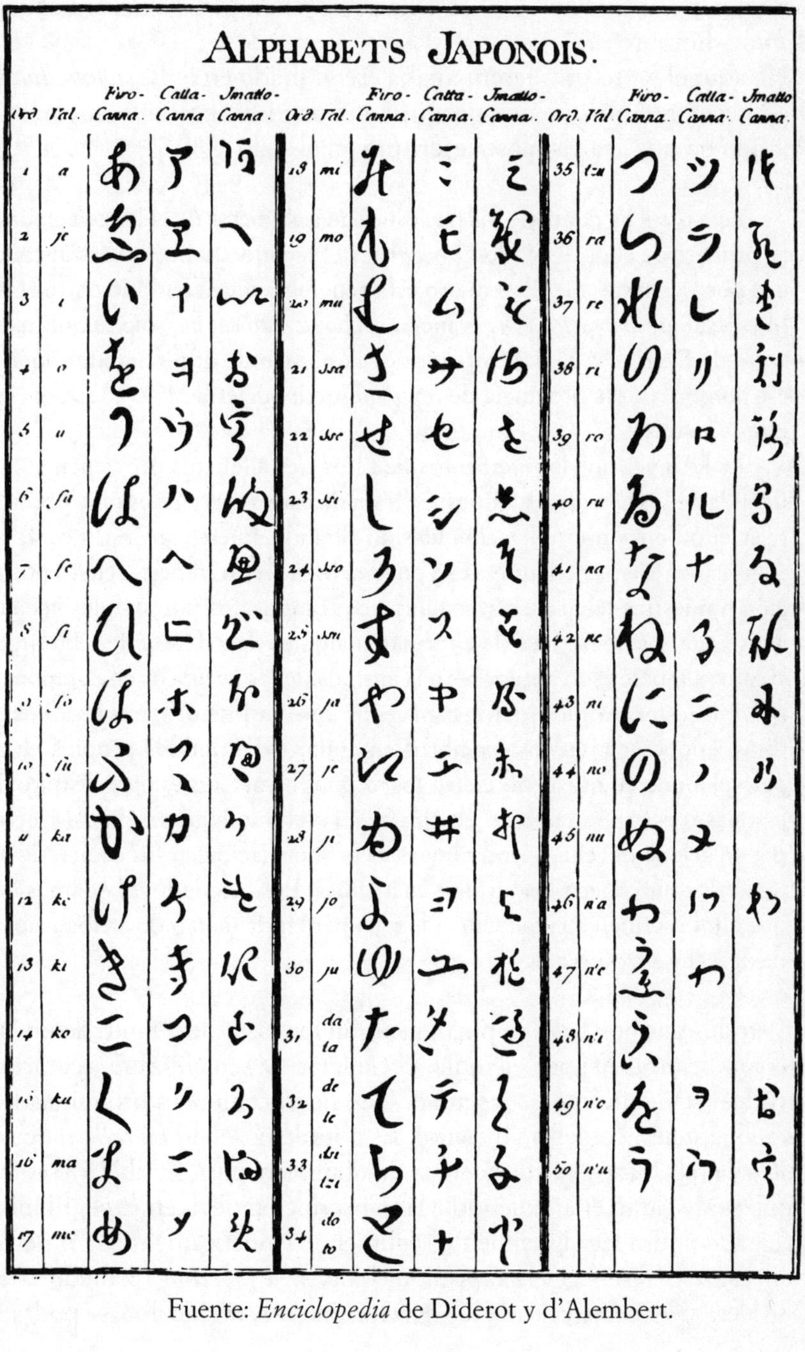

Fuente: *Enciclopedia* de Diderot y d'Alembert.

el carácter 山, en chino *shan* («montaña»), será leído en japonés *yama*, «montaña», o el carácter 人, en chino *ren* («hombre»), se leerá en japonés *hito*, «hombre».

He aquí el texto que acompañaba ese grabado en la *Enciclopedia*. Resulta interesante porque nos proporciona una idea bastante aproximada del modo en que era vista esta escritura en el siglo XVIII:

> Esta plancha contiene los tres diferentes alfabetos de la lengua japonesa. El primero de ellos, llamado *Firocanna*, y el segundo, *cattacanna*, son conocidos por el japonés medio y su uso está generalmente extendido entre el pueblo. El alfabeto *imattocanna* o, mejor dicho, *jamatocanna*, sólo se utiliza en la corte de Dairi o en la del emperador eclesiástico de título hereditario; tiene ese nombre por la provincia de *Jammafairo* donde está Miaco, residencia de este príncipe.
>
> Es fácil ver que los elementos de estos tres alfabetos provienen en gran medida de los caracteres chinos. Se trata de caracteres chinos muy libremente escritos, cuya pronunciación ha sido alterada. Puesto que estos caracteres transcriben sílabas completas se puede entender su imperfección con relación a nuestras lenguas, cuyos alfabetos compuestos por simples vocales y consonantes son capaces de expresar cualquier tipo de sonidos. Ignoramos si estos alfabetos son anteriores a la entrada de los europeos en el Japón, o si más bien estos pueblos fueron capaces de inventarlos por sí mismos. Los eruditos japoneses pueden leer libros en chino igual que los propios chinos, pero el modo en que pronuncian los mismos caracteres es muy distinto. Los japoneses escriben también en chino, y a menudo, para facilitar la lectura, ponen al lado del chino, entre líneas, la pronunciación en sus caracteres alfabéticos, como hacen los tártaros manchúes. Por otro lado, olvidamos decir que ellos escriben a la manera china, en perpendicular, o de arriba a abajo y de derecha a izquierda.

Pero los mismos *kanji* se pueden, según los casos, leer tanto de una forma como de otra. Así por ejemplo, el carácter 食, en chino *shi* (comer), se puede leer semánticamente, según el *kun*, siendo entonces pronunciado *taberu* (en japonés: comer o yo como). Es posible observar en *taberu* dos elementos: la raíz (*tabe-*) y la desinencia *-ru*. También, para escribir «yo como», se utiliza este carácter añadiéndole la transcripción de *ru* en *kana*. El mismo carácter se podrá leer igualmente según el *on* (fonéticamente): *shi* deviene entonces *syoku* (comer) y la expresión china, 食堂, *shi tang* (comedor, cantina) se leerá *syoku doo*. El carácter 車, en chino *che*, «vehículo», se podrá leer *kuruma* (en japonés coche) o *sya*, y en tal caso los tres caracteres serán 食堂車, leídos *syoku doo sya* (coche restaurante).[3]

Para acabar, consideremos estas dos grafías:

1) 日本
2) 東京

En chino, 日本 se lee *ri ben*, que palabra a palabra significa «origen del sol» o «raíz del sol», con el que se designa el pueblo japonés. De ahí seguramente proviene la conocida expresión «país del sol naciente». Pero la transcripción *ri ben* no proporciona una idea demasiado adecuada de la pronunciación real de ambos caracteres. Cada vez que una palabra china es escrita en caracteres latinos se hace siguiendo los principios del *pin yin*, la transcripción latina oficial. De este modo la sílaba *ri* se pronuncia más bien *je*, como en francés *jeter*.* Por otra parte, la oposición sorda/sonora (del tipo p/b, t/d, etc., que se produce tanto en francés como en español) no existe en chino, siendo la diferencia entre p y b del tipo aspirada/no aspirada. Así, la pronunciación de *ben* se aproxima más al francés *peine* que a *benne*,* y los caracteres 日本, transcritos, en *pin yin*, *ri ben*, se pronuncian por tanto de forma similar a «je penne»,* lo que explica lo siguiente: en efecto, en japonés estos dos caracteres se leen *ni hon* o *ni pon* (de ahí la palabra *nipón*), que significan, claro está, «Japón».

Pasemos al segundo ejemplo. En chino, 東京 se lee *dong jing*, que palabra a palabra significa «capital del este», de la misma manera en que 北京 se lee *bei jing*, «capital del norte» (es decir, Pekín), y que 南京 se lee *nan jing*, «capital del sur» (es decir, Nankín). «Este» se dice en japonés *higasi* y, en otros contextos, se podrá escribir también 東. Pero 東京 se leerá *to* (pronunciación aproximada del chino *dong*) y *kyo* (en japonés «capital», «ciudad»), es decir, *Tokyo*, el nombre de la capital.

Como se ve, se trata de un sistema compuesto por tres elementos: los *kanji*, cuyo número oficialmente es de 1.850, que se pueden leer fonética o semánticamente; los *hira-kana*, que sirven para precisar fonéticamente la pronunciación japonesa de un *kanji;* y los *kata-kana*, que en la actualidad se utilizan especialmente para transcribir las palabras extranjeras.

---

3. Ejemplo tomado de Giulio Soravia, *Storia del linguaggio*, Milán, Garzanti, 1976, pág. 91.

* Ejemplos intraducibles al castellano. (*N. del t.*)

Los *kana*, repitámoslo una vez más, bastarían ampliamente para escribir sin la menor ambigüedad la lengua japonesa, pero la permanencia de los *kanji*, testimonio de la historia de la introducción de la escritura en Japón, con su lectura según el modo *on* o el *kun*, apenas facilita, como se puede comprender, el aprendizaje del japonés escrito.

Figura 4. Los kana y los caracteres chinos que les sirvieron de base

Valor	chino	katakana	chino	hiragana
a	阿	ア	安	あ
i	伊	イ	以	い
u	宇	ウ	宇	う
e	江	エ	衣	え
o	於	オ	於	お
ka	加	カ	加	か
ki	幾	キ	幾	き
ku	久	ク	久	く
ke	介	ケ	計	け
ko	己	コ	己	こ
sa	散	サ	佐	さ
si	之	シ	之	し
su	須	ス	寸	す
se	世	セ	世	せ
so	曽	ソ	曽	そ
ta	多	タ	太	た
ti	千	チ	知	ち
tu	川	ツ	川	つ
te	天	テ	天	て
to	止	ト	止	と

Figura 4. Los kana y los caracteres chinos que les sirvieron de base
(*continuación*)

Valor	chino	katakana	chino	hiragana
na	奈	ナ	奈	な
ni	二	ニ	仁	に
nu	奴	ヌ	奴	ぬ
ne	襧	ネ	襧	ね
no	乃	ノ	乃	の
ha	八	ハ	波	は
hi	比	ヒ	比	ひ
hu	不	フ	不	ふ
he	部	ヘ	部	へ
ho	保	ホ	保	ほ
ma	万	マ	末	ま
mi	三	ミ	美	み
mu	牟	ム	武	む
me	女	メ	女	め
mo	毛	モ	毛	も
ya	也	ヤ	也	や
yu	由	ユ	由	ゆ
yo	与	ヨ	与	よ
ra	良	ラ	良	ら
ri	利	リ	利	り
ru	流	ル	留	る
re	礼	レ	礼	れ
ro	呂	ロ	呂	ろ
wa	◊	ワ	和	わ
wo	乎	ヲ	遠	を
n	ン	ン	无	ん

Capítulo 6

La aparición del alfabeto

Como hemos comentado antes en la introducción, el alfabeto es una de las posibles formas de escritura, elegida por cierto número de sociedades, aunque conviene no olvidar nunca que una parte muy importante de la humanidad, como por ejemplo en la actualidad más de mil millones de chinos, se sirve de otros sistemas que le parecen igualmente naturales y sin los cuales no concibe la escritura... La aparición del alfabeto supone solamente un capítulo dentro de la historia de las escrituras, que no basta para explicarla por completo, pues representa tan sólo un aspecto, por más que para los occidentales éste resulte el principal.

Y, sin embargo, si bien las escrituras surgieron bajo formas bien diversas, en lugares y épocas diferentes (signos cuneiformes mesopotámicos, jeroglíficos egipcios, ideogramas chinos, glifos aztecas y mayas, etc.), por su parte parece que el alfabeto tiene un origen único, constituyendo una creación semítica surgida durante el segundo milenio antes de nuestra era, en una región que actualmente correspondería a Siria, Líbano, Israel y Jordania. Aunque el término alfabeto pueda dar la impresión de ser de origen griego, formado a partir de las dos primeras letras, alfa y beta, las primeras según cierto orden que nosotros hemos heredado pero que resulta anterior a los griegos, el principio estructural del alfabeto viene de mucho más atrás: con tal de asistir a su nacimiento, haría falta remontarse aproximadamente al año 1500 a.C., en esa región cuyos habitantes se expresaban por medio de lenguas semíticas. Y puesto que se trata de lenguas semíticas veamos primero la manera en que, de modo general, se suele presentar este grupo:

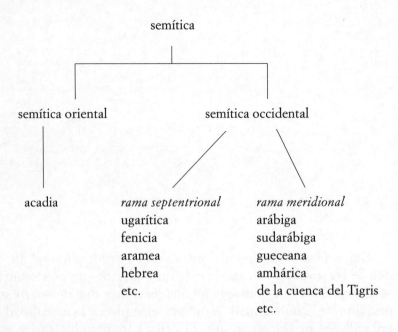

semítica

semítica oriental   semítica occidental

acadia   *rama septentrional*   *rama meridional*
ugarítica   arábiga
fenicia   sudarábiga
aramea   gueceana
hebrea   amhárica
etc.   de la cuenca del Tigris
     etc.

En esta región, durante la época que nos interesa, dos pueblos iban a jugar bazas fundamentales: los fenicios y más tarde los arameos, dos pueblos que hablaban distintas lenguas semíticas, mientras que el acadio era la lengua diplomática, la «lengua vehicular» entre los diversos Estados, como lo fuera el francés hasta el siglo XIX o como, en tiempos más cercanos, lo es el inglés. Esta lengua acadia utilizaba los signos cuneiformes, por entonces la forma de escritura más extendida a lo largo de Oriente Próximo, escritura vehicular se podría decir, pero que en modo alguno era la única existente. Al menos otros dos importantes sistemas coexistían en ese momento y ambos combinaban el principio ideográfico y el principio fonográfico:

—el sistema sumero-acadio,
—el sistema egipcio (jeroglíficos y escritura hierática, es decir, cursi-

va), limitado a Egipto, país que se servía igualmente del acadio en lo que se refiere a las relaciones internacionales.

Ahora bien, las lenguas semíticas, por su misma estructura, disponen de una estructura que no podía dejar de encajar bien con la evolución del sistema cuneiforme hacia el principio alfabético: cada una de las «palabras» está formada por una raíz consonántica (en general compuesta por tres consonantes) que es la que «porta» el sentido, mientras que las vocales (tres en su origen: a, i, u) y ciertas modificaciones consonánticas indican más bien las funciones gramaticales. El ejemplo que en general se suele aducir para entender este sistema es el de la raíz KTB, de la cual hay aquí una descripción aclaratoria:

> El sentido fundamental (escribir) no se verá modificado en modo alguno por la inserción de vocales o por la adición de otras consonantes, que sirven solamente para expresar algunas modalidades: — KTB: *katab* (*kataba*), «él ha escrito», *kotéb* (*kâtib*), «escribiente, escritor», *kitâb*, «escrito, libro», etc. — KTBT: *katabtû*, «yo he escrito», *katabta*, «tú has escrito». — KTBN: *katabnû* (*katabna*), «nosotros hemos escrito». — KTTB: *tiktob*, «tú escribirás». — MKTB: *miktab* (*maktub*), «escrito»...[1]

Como se puede ver, este sistema resulta muy diferente al de las lenguas romances o de las lenguas germánicas. Por ejemplo, en francés la conjunción de vocales al esquema consonántico LK nos daría palabras sin la menor relación semántica entre ellas: *lac, laque, loque, loquet, laquais*, etc.* Del mismo modo, en inglés el esquema KT dará en las mismas condiciones palabras tan distintas como *cut*, «cortar», *cat*, «gato», *cute*, «amable», *acute*, «agudo», *kit*, «cubo», *kite*, «cometa», etc. Esto quiere decir que la transcripción de las vocales, indispensable para este tipo de idiomas, no resulta necesaria para las lenguas semíticas, que se prestaban por ello, quizá con mayor facilidad que otros, a la aparición del alfabeto consonántico que a continuación vamos a describir.

---

1. Maurice Sznycer, «L'origine de l'alphabet sémitique», en *L'Espace et la Lettre,* París, Union générale d'Édition, págs. 86-87.
    * Lago, laca, picaporte, lacayo. (*N. del t.*)

Figura 1. El alfabeto ugarítico

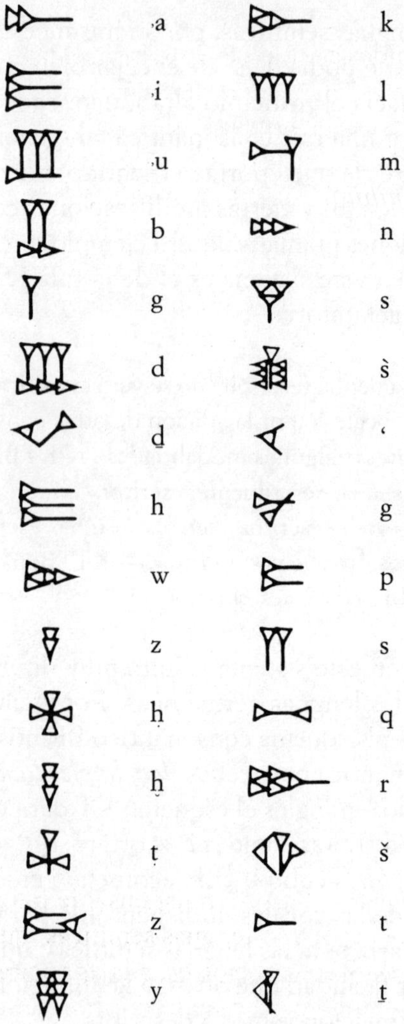

▷Y	ʾa	▷—<	k
⊟	ʾi	YYY	l
Ⅲ	ʾu	▷Y	m
Y	b	▷▷▷	n
Y	g	▽	s
YYY	d	⧗	š
◁	ḏ	◁	ʿ
⊟	h	▽	ġ
▷▷▷	w	⊟	p
▽	z	YY	ṣ
✳	ḫ	▷◁	q
▽	ḥ	▷▷▷—	r
✠	ṭ	◁Y	š
⊠	ẓ	▷—	t
▦	y	◁	ṯ

Fuente: Maurice Sznycer.

El primer alfabeto de la historia del cual se conservan restos es el alfabeto ugarítico, aparecido por lo menos catorce siglos antes del comienzo de nuestra era en las costas de lo que hoy es Siria (excavaciones de Ras Shamra). El cuadro anterior (véase la figura 1) nos muestra que se utilizaban signos cuneiformes, si bien éstos nada tienen que ver con los utilizados anteriormente en Mesopotamia, que sirvieron en un primer momento para la transcripción de conceptos (cuneiformes ideográficos) y más tarde de sílabas (cuneiformes silábicos): de lo que se trataba era de hacer la transcripción de sonidos aislados, en este caso de las consonantes. Y este alfabeto iba a servir para transcribir varias lenguas: la ugarítica, desde luego, pero también la acadia y la hurrita.

Evidentemente, resulta difícil creer que este alfabeto pudiera aparecer de repente, *ex nihilo*. Tomando prestada la técnica de los signos cuneiformes a los acadios, es posible que, por una parte, simplificara (recurriendo a la acrofonía) algunos signos cuneiformes acadios y que, por otra parte, fuera la adaptación de un alfabeto anterior (el alfabeto semítico occidental) a la técnica de los cuneiformes. En lo relativo al punto primero, se puede, por ejemplo, comparar la manera en que el ugarítico transcribe las consonantes /g/, /s/ y /s/ con las notaciones silábicas de los acadios:

acadio	ugarítico
gi	g
š	š
ṣ	ṣ

En estos tres casos se advierte con claridad al mismo tiempo tanto el principio acrofónico (la letra ugarítica transcribe la inicial de la sílaba acadia) como la simplificación gráfica.

Hacia esa misma época, en el siglo XV a.C., surgiría otro alfabeto, llamado *protosinaico* (descubierto durante las excavaciones de Serabit el Khadem, en el Sinaí), que hasta el momento no ha podido ser descifrado en su totalidad, como luego veremos.

He aquí, en forma de cuadro, el desarrollo cronológico de la aparición de los alfabetos conocidos, tal y como en la actualidad ha podido ser reconstruido y sin que el adjetivo «cronológico» implique por el momento ninguna continuidad:

Alfabeto semítico occidental

siglo XV:	alfabeto cuneiforme ugarítico (descifrado)	alfabeto protosinaico (parcialmente descifrado)
siglo XI:	alfabeto fenicio	
siglo IX:	alfabeto paleohebreo, arameo	

Resulta sorprendente, en el caso de los dos primeros alfabetos descifrados (ugarítico y fenicio), que el orden de las letras sea el mismo, correspondiéndose más o menos con el de posteriores alfabetos. Es decir, que este orden sería muy antiguo, sin que pueda conocerse con exactitud su procedencia. Y este problema del orden de las letras se amplía todavía con el del nombre de las letras. No conocemos ningún ejemplo hasta el siglo VI a.C., lo que desde luego no supone la menor prueba de que no pudieran existir en fechas más tempranas. Pero ¿de dónde pueden provenir, tanto el orden de las letras como su nombre? Una de las posibilidades, quizá la más plausible pese a que no contamos con pruebas a su favor, presenta la ventaja de tomar en consideración el problema de la nominación de las letras y a la vez su origen formal. Se plantean, en efecto, dos cuestiones que no necesariamente tienen que estar ligadas: ¿por qué el grafismo A, por ejemplo, sirve por una parte para hacer la transcripción del sonido /a/ (se podría hacer tal transcripción de maneras diferentes, por medio de B, C, D, etc., de la misma forma que por el recurso a #, ∞, ¶, π, Ø, ª, etc.) y por qué, por otra parte, este grafismo lleva el nombre de *alpha* en griego y de *aleph* en semítico? La solución que presenta la ventaja de responder a ambas cuestiones es la siguiente: *si el nombre de cada letra designara en el origen su forma*, es decir, que designara por medio de una palabra propia de la lengua la cosa a la cual se refiere esta forma, entonces *la letra podría por sí misma proceder de un pictograma*, y entonces *la relación entre tal pictograma y la letra sería acrofónica*. No perdamos de vista este ejemplo, el de la primera letra del alfabeto, la A, es decir, la *alpha* del alfabeto griego y el *aleph* del alfabeto hebreo. Si se estudia su forma dentro de los alfabetos fenicio y arameo cabe pensar en la siguiente secuencia:

1) primero existía un pictograma con el que se representaba la cabeza del buey (el «buey» es llamado *aleph* en semítico);
2) luego se utilizó ese pictograma para hacer la transcripción del sonido inicial, por acrofonía, es decir, para transcribir la A (de hecho, en su origen, se trata de un golpe de glotis);

3) por último se mantuvo su transcripción, designando entonces al antiguo pictograma ahora convertido en letra del nombre de eso transcrito por el pictograma: *aleph*, que se transformará en *alif* en árabe y en *alpha* en griego.

Gardiner se ha basado en esta hipótesis para su propuesta de lectura de cierto pasaje protosinaico. Partiendo del principio de que por una parte el texto estaba en semítico y que por otra las «letras» eran acrofónicas, este investigador ha sido capaz de ver en el signo □ una casa (*bêth*, en semítico), y por lo tanto la letra B; en el signo ◁▷, un ojo (*'ayin*) y por lo tanto la letra con la que se transcribe hamza, y así sucesivamente, lo que le permite leer del siguiente modo estas dos secuencias:

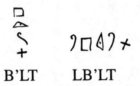

B'LT   LB'LT

He aquí otro ejemplo de lectura de inscripción protosinaica. En una estatua hallada en el templo de Hathor y conservada en los museos reales de Bruselas se lee la inscripción TNT, que se puede interpretar como el nombre de la diosa Tanit o, también, como la palabra que significa «dádiva».

De modo más general, la hipótesis que habla de la concordancia entre el nombre de las letras, su forma y un principio acrofónico sólo resultaría aceptable en la medida en que en varios alfabetos se encontraran al mismo tiempo formas de letras, valores y nombres comparables. Y para ello es preciso comparar el conjunto de los alfabetos propios de esa región, si se quieren evitar paralelismos establecidos demasiado precipitadamente. El cuadro de la página siguiente (véase la figura 2) presenta sucesivamente veintiuna letras tomadas de los alfabetos protosinaico (al menos las letras que se han conseguido descifrar), fenicio, arameo, corintio, griego clásico, sudarábigo y latino. Ninguno de los alfabetos citados se muestra aquí completo, pues sólo se han seleccionado aquellas letras correspondientes a los sonidos existentes en estas diferentes lenguas. La penúltima columna informa sobre el valor fonético de la letra en caso de que éste no esté claramente indicado por la letra latina (o cuando no existe la correspondiente letra latina), mientras que la última indica el nombre de la letra en semítico y en griego. Observemos, línea por línea, las posibles correspondencias.

Figura 2. Correspondencias entre los alfabetos desde el protosinaico hasta el latín

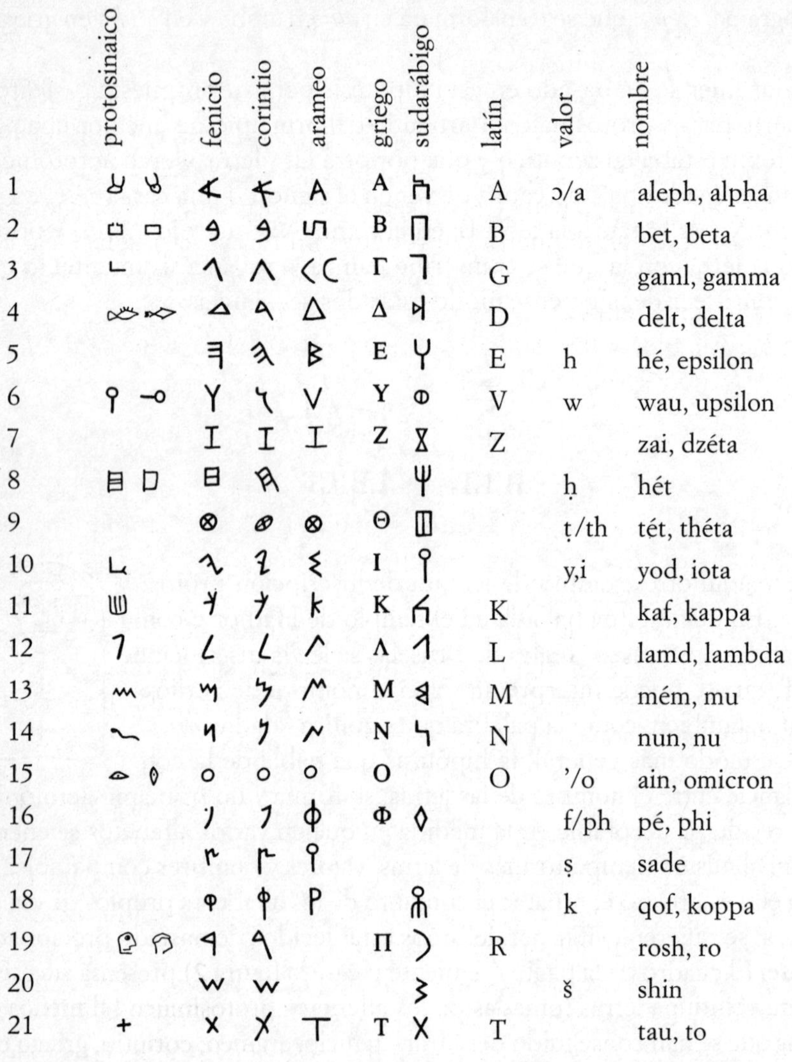

	protosinaico	fenicio	corintio	arameo	griego	sudarábigo	latín	valor	nombre
1					A		A	ɔ/a	aleph, alpha
2					B		B		bet, beta
3					Γ		G		gaml, gamma
4					Δ		D		delt, delta
5					E		E	h	hé, epsilon
6					Y		V	w	wau, upsilon
7					Z		Z		zai, dzéta
8								ḥ	hét
9					Θ			ṭ/th	tét, théta
10					I			y,i	yod, iota
11					K		K		kaf, kappa
12					Λ		L		lamd, lambda
13					M		M		mém, mu
14					N		N		nun, nu
15					O		O	'/o	ain, omicron
16					Φ			f/ph	pé, phi
17								ṣ	sade
18								k	qof, koppa
19					Π		R		rosh, ro
20								š	shin
21					T		T		tau, to

1. *aleph* significa «buey» en semítico, y en el trazo de la letra desde su origen protosinaico se advierte, sin duda, una cabeza de buey con sus cuernos. Simplemente, esta letra ha experimentado una rotación de 90° hacia la derecha. La consonante semítica sirve para transcribir esta letra que no existe en griego, y los griegos utilizaron esta letra para transcribir la vocal /a/.

2. *bet* significa «casa» o «tienda», y al ver este signo protosinaico, leído /b/ por Gardiner, cabría pensar en el plano de una habitación o de algún tipo de edificación.

3. *gaml* generalmente se considera que significa «camello». ¿Tal vez se pueden percibir en los signos fenicio y arameo la joroba del camello? Imposible afirmarlo con certeza. Nos encontramos aquí con uno de los raros ejemplos de semejanza entre la letra sudarábiga y las otras.

4. *delt* significa «batiente de puerta». ¿No cabría entonces preguntarse por qué un batiente de puerta se presenta con forma triangular? Tal vez se trate de la entrada de una tienda... Pero, indudablemente, en protosinaico representa un pez.

5. *hé*: etimología desconocida. Al igual que en el caso de *aleph/alpha*, los griegos efectuaron la alteración de este carácter con tal de obtener la transcripción de épsilon.

6. *wau* significa «clavo» o «clavija». Es posible que se pueda ver la forma de una clavija en los casos del protosinaico y del fenicio. La evolución gráfica hacia la Y y la V no plantea ningún problema. También en este caso el alfabeto griego utiliza este signo consonántico para hacer la transcripción de una vocal (upsilón).

7. *zai* significa «arma» en arameo (¿préstamo quizá del iranio?) y «olivo» en semítico. Pero ningún rasgo en la forma nos permite concluir un origen pictográfico. Por el contrario, el paso de la letra corintia a la letra griega demuestra con certeza su origen fenicio.

8. *hét*: en general suele señalarse la etimología, bastante discutida, de «cercado». Existe también en acadio una forma *hêtu*, «muro». J. Février cree que «la forma exterior del carácter, que representa una especie de enrejado»[2] convendría a la etimología propuesta. No se sabría decir si esta explicación resulta convincente. En cualquier caso, la continuidad del protosinaico y del arameo resulta evidente.

9. *tét*: etimología desconocida. Se puede entender este signo a manera de variante de *tau* (signo 21), como transcripción de un sonido similar.

10. *yod* significa «mano», y las grafías protosinaica, fenicia y aramea pueden recordarnos a una mano mostrada de perfil, con los dedos extendidos y la muñeca en paralelo al suelo. La iota griega es considerada generalmente como creación propia, pero la forma corintia podría hacer pensar, como por otra parte las demás vocales griegas, en la alteración de algún carácter fenicio que debía transcribir una consonante inexistente en griego.

2. James Février, *Histoire de l'écriture*, París, Payot, 1948, pág. 228.

11. *kaf* significa «palma», y también aquí es posible pensar en un origen gráfico. En especial, resulta interesante destacar que, dentro del orden del alfabeto, estas dos letras van seguidas. Se encuentra la misma proximidad entre *ain*, «ojo», y *pé*, «boca», o entre *ros*, «cabeza», y *shin*, «diente»: en estos tres casos, se trata sin duda de algún tipo de mecanismo mnemotécnico.

12. *lamd* se suele glosar generalmente como «aguijón», pero tal etimología no es segura. Podría ser que correspondiera, sin embargo, a grafismos posteriores.

13. *mém* significa «agua», y tanto en protosinaico como en fenicio el signo toma forma de línea ondulada, que se reencuentra también en griego, latín, etc.

14. *nun* significa en arameo «pez», sin que resulte evidente un origen pictográfico. En protosinaico recuerda claramente a una serpiente (¿quizá de agua?).

15. *'ain* significa «ojo», y la evolución del signo resulta aquí muy clara, reforzada por el signo protosinaico leído por Gardiner. El paso al griego es, como para la mayoría de vocales, resultado de una alteración del signo al no existir /'/ en griego.

16. *pé* significa «boca», aunque nada parece sugerir aquí algún origen pictográfico. Février indica que esta letra se denomina en etíope *af*, «nariz», etimología que quizá resultaría más convincente.

17. *sadé*. Se han propuesto diferentes sentidos para este signo: «anzuelo», «hoz», «nariz»... No obstante, ninguno de ellos corresponde verdaderamente al sonido que transcribe ni a los grafismos fenicio y arameo.

18. *qof*, «mono» en hebreo, pero tal etimología apenas sirve para comprender el origen de la letra.

19. *res*, «cabeza»: estaría mostrada de perfil en los caracteres protosinaico y fenicio. El origen pictográfico resulta aquí indiscutible.

20. *sin* significa «dientes», y se advierte en las letras fenicia y hebraica el dibujo de dos dientes.

21. *tau* significa «marca», «signo», y esta etimología podría quizá corresponder a la cruz fenicia. Aquí también destaca la convergencia con el carácter sudarábigo.

Se pueden concluir por lo menos tres cosas tras esta detallada panorámica. Primero que las propuestas de lectura del protosinaico parecen habitualmente convincentes, permitiendo retrasar el origen del alfabeto entre cinco y seis siglos. En segundo lugar que, si se excluyen unas pocas semejanzas en todo caso dudosas, resulta difícil establecer vínculos gráficos entre el alfabeto sudarábigo y el protosinaico o el fenicio. Y por último, que la filiación protosinaica-fenicia-griega-latina resulta, por el contrario, incontestable, puesto que se apoya al mismo tiempo sobre *convergencias de forma, nombre y valor de las letras.*

Se puede por lo tanto afirmar con cierta seguridad que, en lo que se refiere a este conjunto de alfabetos, las letras provienen originariamente de pictogramas. En un primer momento se debió dibujar un objeto o un ser (una cabeza de buey, el plano de una casa, una mano...) y denominarse el grafismo con el nombre de este objeto, para, después de varios siglos, concederle al grafismo simplificado, por acrofonía, el valor de la inicial de ese nombre y continuar llamándolo de la misma manera. Esto significaría que *todos estos alfabetos provienen, por acrofonía, de un sistema de notación silábica.*

Sin embargo, a nuestro cuadro le falta todavía otro alfabeto, aparecido casi por esa misma época: el alfabeto hebreo. Los judíos se servirían bien pronto (alrededor del siglo X a.C.) del alfabeto fenicio para constituir lo que se ha dado en llamar el paleohebraico o en ocasiones el cananeo antiguo. De ese modo se han encontrado, en las ruinas del palacio de Lachish, las cinco primeras letras de este alfabeto, muy semejantes a las del alfabeto fenicio:

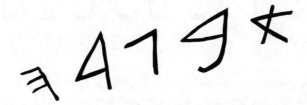

(De derecha a izquierda: aleph, beth, gimel, daleth, he.)

Se trata, sin duda, de una especie de ejercicio escolar, pero lo notable del caso es que el orden de las letras era ya el mismo que el de nuestros modernos alfabetos. Los mismos caracteres se encuentran igualmente en la estela de Mesa (siglo XI a.C.), redactados en moabita. Este alfabeto sería utilizado durante un millar de años, experimentando durante este tiempo ligeras variaciones formales, aunque conservando el mismo nombre de las letras.

Cuando en el año 586 a.C. Jerusalén fue tomada por los babilonios y el primer templo destruido, miles de judíos fueron deportados hacia las

riveras del Éufrates. Aproximadamente cincuenta años más tarde, durante la época en que los persas aqueménidas conquistaron Babilonia, los judíos fueron autorizados a regresar a su tierra. Pero en ese intervalo éstos
aprendieron la lengua aramea y su escritura, mientras que los demás judíos, los que habían permanecido en el lugar, conservaron el hebreo. Es
por esta causa por lo que, durante todo el período que sigue, serán utilizados indistintamente dos alfabetos para escribir el hebreo: el cananeo
antiguo por una parte, o paleohebraico, y, por la otra, el arameo. Ambos
alfabetos compartían seguramente un mismo origen, pero había pasado el
tiempo suficiente, algunos siglos, como para diferenciarse. De esta manera, hacia el siglo II a.C., se ve surgir el hebreo clásico, derivado del alfabeto arameo. Seguidamente, ofrecemos una muestra comparativa entre el
hebreo clásico y el paleohebraico:

Como se puede ver, los diferentes alfabetos aparecidos en esta región
están estrechamente ligados, pudiéndose presentar sus relaciones del
modo siguiente:

—los pseudojeroglíficos de Byblos (hacia el siglo XVIII a.C.);
—los textos protocananeos de la antigua Palestina (hacia los siglos
XVIII-XVI a.C.);
—los signos protosinaicos propios de la península del Sinaí (hacia el
siglo XV a.C.);
—el ugarítico alfabético cuneiforme, escritura semítica occidental propia de una zona próxima a la costa Siria (siglos XIV-XII a.C.), que si bien
puede ser derivación de algún modelo semítico occidental más antiguo, es
el primer «abecedario», constituido como tal, que conocemos.

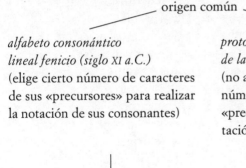

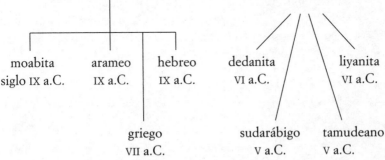

origen común

alfabeto consonántico
lineal fenicio (siglo XI a.C.)
(elige cierto número de caracteres
de sus «precursores» para realizar
la notación de sus consonantes)

prototipo de los alfabetos
de la península arábiga
(no atestiguado, elige cierto
número de caracteres de los
«precursores» para conseguir la notación de sus consonantes)

moabita	arameo	hebreo	dedanita	liyanita
siglo IX a.C.	IX a.C.	IX a.C.	VI a.C.	VI a.C.

griego
VII a.C.

sudarábigo
V a.C.

tamudeano
V a.C.

Fuente: Naissance de l'écriture, pág. 190.

En este cuadro se incluyen algunos alfabetos de los cuales no hemos hablado (dedanita, tamudeano y liyanita, muy similares entre sí, que servían para transcribir la lengua árabe de la época. Se les suele clasificar bajo la etiqueta de «norarábigos», pues sus rastros se encuentran en el norte de la península arábiga), pero que no añaden nada a lo fundamental: el alfabeto vio la luz por vez primera en una zona situada entre Mesopotamia, Judea y la península arábiga, y desde el siglo V a.C. tomaría diferentes formas. El fenómeno se multiplica y complica con el paso del tiempo, por lo que trataremos de la expansión casi mundial del sistema alfabético en el capítulo siguiente.

Capítulo 7

La expansión del alfabeto

En el capítulo anterior hemos trazado una panorámica sobre la historia de los alfabetos hacia el siglo v a.C., limitada a una región extremadamente reducida. Pero en la actualidad los alfabetos se encuentran presentes en el mundo entero bajo las formas más diversas, aunque a pesar de tales diferencias se remontan a un mismo origen, al arameo o al fenicio en su mayor parte, como se demuestra en el siguiente gráfico:

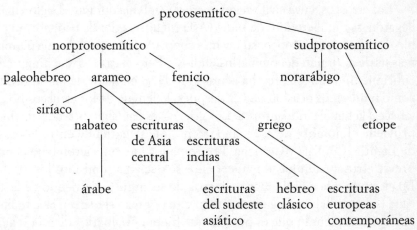

Estos alfabetos se cuentan por centenares, por lo que resultaría tarea bastante ardua la elaboración de su listado. Lo que vamos a intentar, más bien, es presentar este conjunto dividiéndolo en tres líneas, cosa que nos permitirá poner en él algo de orden aun a riesgo de que este modelo organizativo deje fuera algunos de los sistemas. Para comenzar, pues, seguiremos la línea griega, después la india y por último la árabe.

LA LÍNEA GRIEGA

Los griegos adaptaron la escritura fenicia y realizaron una transformación de trascendencia fundamental: al utilizar, con el fin de hacer la transcripción de las vocales de su lengua, los signos que eran notación de sonidos propios de la lengua fenicia inexistentes en griego, pasaron de un sistema consonántico a otro alfabético, establecido a mediados del siglo VIII a.C. (véase la figura 3: Alfabetos griego y copto) y que será el origen de una importante familia de alfabetos. La «línea griega» iba a conducir, en efecto, a los alfabetos europeos actuales, así como al alfabeto copto: al alfabeto etrusco, a partir del siglo VII a.C., a los alfabetos itálicos, al alfabeto copto en los siglos II-III d.C., al alfabeto godo en el siglo IV (posiblemente con una transmisión hacia las runas), al alfabeto armenio en el siglo V, al alfabeto georgiano y finalmente al glagolítico y al cirílico en el siglo IX.

El misterio etrusco

Los etruscos, cuya civilización apareció en Italia durante el siglo VII a.C., llegaron, según Herodoto de Lidia (Asia Menor), a donde habitaba un pueblo de origen indoeuropeo (su rey más conocido fue Creso), lo que permitirá más tarde a Virgilio denominarlos «lidios». Pero el caso es que ningún descubrimiento arqueológico ha acudido todavía en favor de tal hipótesis y, como tendremos ocasión de ver después, la lengua de los etruscos no pertenece a la familia indoeuropea. Los griegos les llamaban tirrenos, de donde proviene el nombre de ese mar Tirreno que se extiende entre las costas de Etruria, Córcega y Cerdeña. Los romanos los conocieron bajo el nombre de etrusco, aunque al parecer ellos se decían a sí mismos los rasenna. Lo cierto es que no sabemos gran cosa de su cultura. Partiendo de la Toscana (adonde habían llegado seguramente por mar, si bien en la actualidad hay quienes piensan que es posible que fueran originarios de esta región), fundaron Roma y ocuparon la mayor parte de la península, entre Venecia y Capua, siendo finalmente derrotados por los romanos hacia el año 350 a.C. Su civilización, si la juzgamos en función de sus restos, era altamente desarrollada, pero sabemos muy poco de su lengua. Contamos con numerosas inscripciones, más de trece mil, repartidas por un vasto territorio (se pueden encontrar incluso en Cartago y Alejandría), pero se trata de inscripciones breves de vocabulario bastante limitado, a menudo acompañando estelas funerarias, si bien disponemos también de unos pocos textos en comparación algo más largos; de cualquier forma, los textos bilingües, son muy escasos y de reducida extensión.

No obstante, la escritura de la lengua etrusca apenas plantea dificultades: se trata de un alfabeto inspirado en el griego que transcribe vocales y consonantes, y que llegaría a evolucionar de manera considerable: en un primer período (700 a.C.) se sirvió del alfabeto griego, aunque más tarde se adaptaría éste a la lengua etrusca, evolucionando al poco tiempo hacia el alfabeto latino. Según el caso se podía escribir de izquierda a derecha, de derecha a izquierda, en bustrofédon o incluso en espiral. Pero aunque seamos capaces de leer este alfabeto no sabemos verdaderamente cuál es la lengua que transcribía: por más que nos esforcemos en leer los textos no se logra comprender nada en absoluto.

El papel del alfabeto etrusco en lo referente a la aparición de la escritura entre los romanos se puede ver en las pruebas que enseguida mostraremos (véase la figura 1) y en ciertos términos vinculados con la técnica de la escritura que el latín tomaría en préstamo del etrusco: *stilus*, «estilete», *litterae*, en su origen «escritura» (tal vez ligado al término griego *diphtera*, «membrana», «piel» sobre la cual se escribía) y *cera*, en latín *cere*, del griego *kêros* por intermediación del etrusco, puesto que también ellos escribían sobre tablillas de cera.

Más abajo se encontrará un resumen de la evolución de este alfabeto entre su forma arcaica (inscripciones de Marsiliana, siglo VII a.C.), inspirada en el griego, y su forma «clásica» (siglo V a.C.).

En el caso de Marsiliana se trata de un alfabeto grabado en una lámina de marfil, que sirvió seguramente como modelo de escritura. Hay veintiséis letras, de las cuales cinco son vocales, escritas de derecha a izquierda: las veintidós letras del alfabeto fenicio más otras cuatro letras griegas (υ χ φ ψ).

En lo relativo al alfabeto clásico, seguiremos aquí el silabario encontrado en Nola (véase la figura 1).

Si existe un «misterio etrusco», tal misterio no gira precisamente alrededor de su alfabeto, que somos perfectamente capaces de leer, sino más bien sobre su lengua, que apenas conocemos. Las trece mil inscripciones que hemos hallado (sobre piedra, metal, cerámica...) son en su mayor parte dedicatorias, en las cuales los especialistas a duras penas pueden leer los nombres propios y algunas palabras. Algunas de ellas son préstamos del griego o del latín, como *cela* (pieza, del latín *cella*), *cupe* (copa, del latín *cupa*), *nefs* (hilillo, del latín *nepos*), *lechtum* (vaso, del griego *lekythos*), *vinum* (vino), pero la mayor parte de las palabras no se asemeja en nada a las propias de las lenguas vecinas:

Figura 1. Alfabetos etruscos

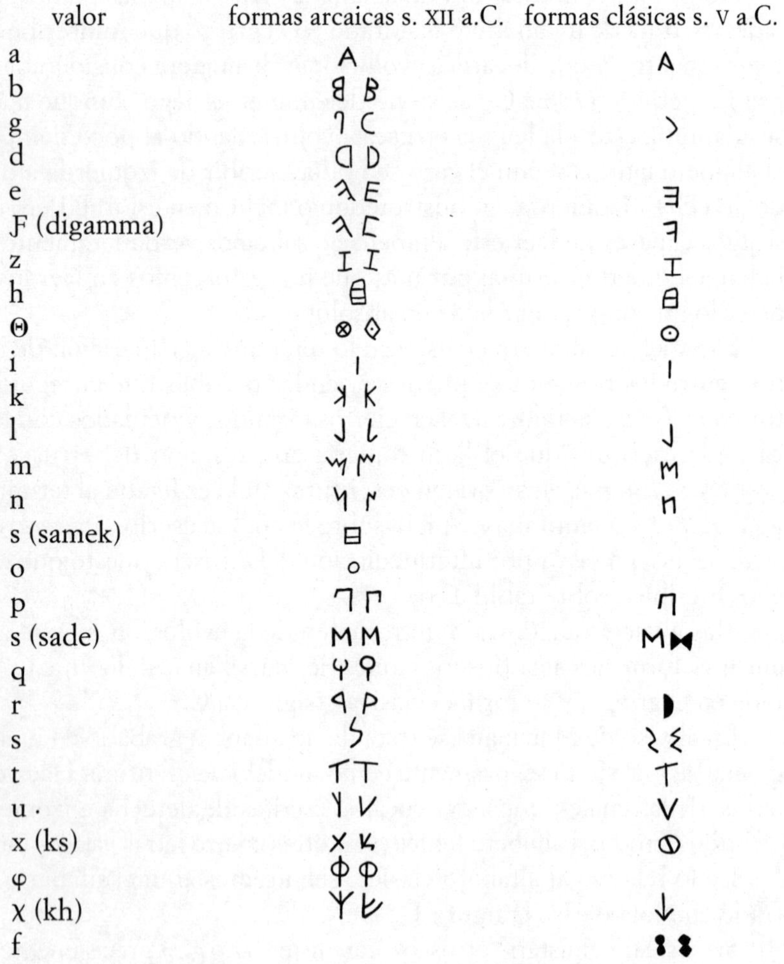

valor	formas arcaicas s. XII a.C.	formas clásicas s. V a.C.
a	A	A
b	B B	
g	ꓶ C	⟩
d	ꓷ D	
e	⋏ E	Ⴒ
Ϝ (digamma)	⋏ ⊏	Ⴒ
z	I I	I
h	ᗜ	ᗜ
Θ	⊗ ◇	⊙
i				
k	ꓘ K	
l	↓ ↳	↓
m	ꟽ ꟿ	ꟽ
n	ꟾ ⌐	ꟷ
s (samek)	⊟	
o	○	
p	⌐ Γ	⌐
s (sade)	M M	M ⋈
q	Ψ ϙ	
r	ꓷ P	◗
s	⟆	⟩ ⟨
t	ꓔ T	T
u ·	Ⴘ V	V
x (ks)	X ꓘ	⊘
φ	Φ Φ	
χ (kh)	Ψ ꓘ	↓
f		ꙫ

Fuente: James Février, *Histoire de l'écriture*, pág. 447.

También *clan* (hijo), *sec* (hija), *etera* (extranjero, esclavo), *flere* (dios), *ziva* (difunto), etc. Sabemos, por otra parte, que se trataba de una lengua estructurada a partir de casos. Así por ejemplo, la palabra *clan* (hijo) se declinaba de este modo:

	singular	plural
nominativo	*clan*	*clenar*
genitivo	*clens*	*clenarasi*
dativo	*lensi*	*cliniiaras*

Gracias a las inscripciones funerarias (sobre las cuales se inscribía la edad de los difuntos) y a los dados (que contienen las cifras del 1 al 6) tenemos alguna idea del sistema numeral: *thu* (uno), *zal* (dos), *ci* (tres), *sha* (cuatro), *mach* (cinco), *huth* (seis), *shar* (diez), *zathrum* (veinte), *ci-alch* (treinta), *she-alch* (cuarenta)... Sabemos también, gracias esencialmente a las monedas, la forma en que los etruscos escribían estas cifras.*

Escritura de las cifras

etrusco	árabe	romano
I	1	I
II	2	II
III	3	III
IIII	4	IV
n	5	V
X y +	10	X
XX	20	XX
∩XX*	25	XXV
XXX	30	XXX
Λ	50	L
C y ✳	100	C

Esto, en conjunto, prueba que la lengua de los etruscos no pertenece a la familia de las indoeuropeas, dentro de la cual todos sus miembros poseen palabras muy similares en lo que se refiere a términos de parentesco, numeración, etc. Sin embargo, una serie como *thu, zal, ci*... no tiene la menor relación con las series paralelas *uno, dos, tres...*, *un, deux, trois...*, *one, two,*

---

* Las cifras se leen de derecha a izquierda.

three..., *ein, zwei, drei...*, etc. Nos encontramos, por lo tanto, ante una situación inversa a la del lineal B (cuyo desciframiento se describirá en el capítulo 11): tras una escritura durante largo tiempo incomprensible se escondía una lengua conocida (el griego), mientras que en este caso desconocemos la lengua que se oculta tras una escritura conocida.

Los alfabetos itálicos

Antes de la expansión definitiva del alfabeto latino en toda la península itálica existían numerosos alfabetos que transcribían diferentes lenguas y dialectos. J. Février ha dispuesto estos alfabetos en tres grupos:

—los alfabetos mesapiano y sículo, en línea directa con el griego;
—el alfabeto piceano y el de Novilara, cuyas relaciones con los alfabetos etrusco y griego no están demasiado claras;
—los alfabetos osco, umbro, falisco y latino, los cuales parecen provenir del antiguo alfabeto etrusco.[1]

El alfabeto mesapiano era el utilizado por los pobladores llegados sin duda de Iliria (las actuales Dalmacia y Albania), que hablaban una lengua indoeuropea. Se compone de veintidós letras fenicias y de algunas letras tomadas en préstamo del griego oriental (Λ para la l, Γ para la g) y occidental. Se escribía de izquierda a derecha.

El alfabeto sículo era utilizado, hacia el siglo V a.C., por los pobladores de Sicilia y transcribía una lengua al parecer de la familia indoeuropea. Hay que señalar que la notación de la /u/ se realizaba recurriendo a la lambda.

El alfabeto piceano, hallado en la región costera del este de Italia, cerca de Rimini, data del siglo VI o V a.C. y presenta numerosas innovaciones. No se conoce la lengua que transcribía (¿quizás el ilirio?). La escritura era una forma de bustrofédon llamada «en serpentina».

En Novilara, cerca de Pesaro, ha sido encontrado un alfabeto escrito de derecha a izquierda, bastante similar al alfabeto etrusco.

En cuanto al alfabeto osco, en la Campania (entre Capua y Pompeya) se han hallado alrededor de doscientas inscripciones que transcribían un dialecto itálico del grupo osco-umbro. Está compuesto de veinte letras y no dispone de notación para la /o/ (que, sin embargo, sí existe en la lengua oral).

1. James Février, *Histoire de l'écriture*, París, Payot, 1948, pág. 459.

Figura 2. Los alfabetos itálicos

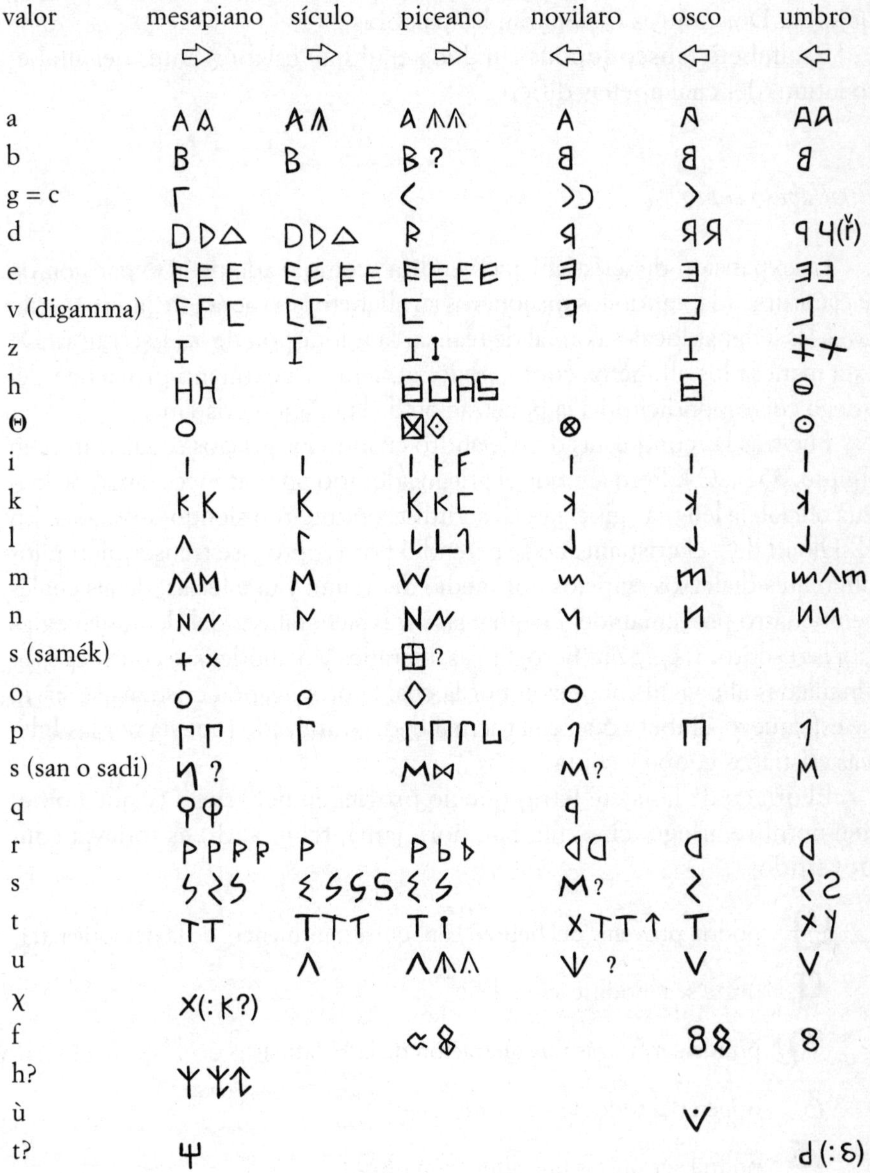
valor
mesapiano
sículo
piceano
novilaro
osco
umbro
a
b
g = c
d
e
v (digamma)
z
h
Θ
i
k
l
m
n
s (samék)
o
p
s (san o sadi)
q
r
s
t
u
χ
f
h?
ù
t?

Fuente: James Février, *Histoire de l'écriture*, pág. 460.

El alfabeto umbro, bastante limitado (está compuesto por diecinueve o veinte signos) y era muy similar al etrusco; se escribía de derecha a izquierda. Dos puntos (:) separan las palabras.

El alfabeto falisco supone sin duda el último eslabón antes del alfabeto latino, del cual apenas difiere.

El alfabeto copto

La expansión del cristianismo vendría acompañada de la expansión de la escritura, adaptando los misioneros su alfabeto (ya fuera éste latino o griego) a las lenguas locales con tal de realizar la traducción de las Escrituras. De esta manera los alfabetos copto, godo, armenio y georgiano provienen del griego correspondiendo a la penetración de la religión cristiana.

Fue tras las conquistas de Alejandro cuando los griegos se ilustraron en Egipto (332 a.C.). Pero aunque el griego adquirió por entonces rango de lengua oficial, la lengua egipcia y su escritura continuaron siendo utilizadas. En el siglo III d.C. el cristianismo se extendió por Egipto y se transcribieron los diferentes dialectos egipcios por medio de treinta y una letras, de las cuales veinticuatro provenían del griego y las otras siete tal vez del demótico egipcio: las escrituras egipcias (jeroglíficas, hierática y demótica) se consideraban vinculadas al paganismo, razón por la cual la propaganda cristiana se sirvió de este nuevo alfabeto que, en la actualidad, es utilizado todavía por las Iglesias cristianas etíope y copta.

El origen de las siete letras que no provienen del griego (y que no tienen nombre griego: chaï, fai, hai, hori, janja, tchima, di) es todavía controvertido:

ꟃ   podría provenir del hebreo con, quizás, influencia de la demótica ꟃ

ϥ   quizá sea modificación de φ

 η   podría ser quizás una alteración de la H latina

ϭ   origen del todo desconocido

ⲭ   podría ser quizás una alteración de λ

δ   quizás proviene del griego δ, pues la C copta deriva de ∫

ϯ   es la ligadura entre τ, t y ι, i.

Figura 3. Alfabetos griego y copto

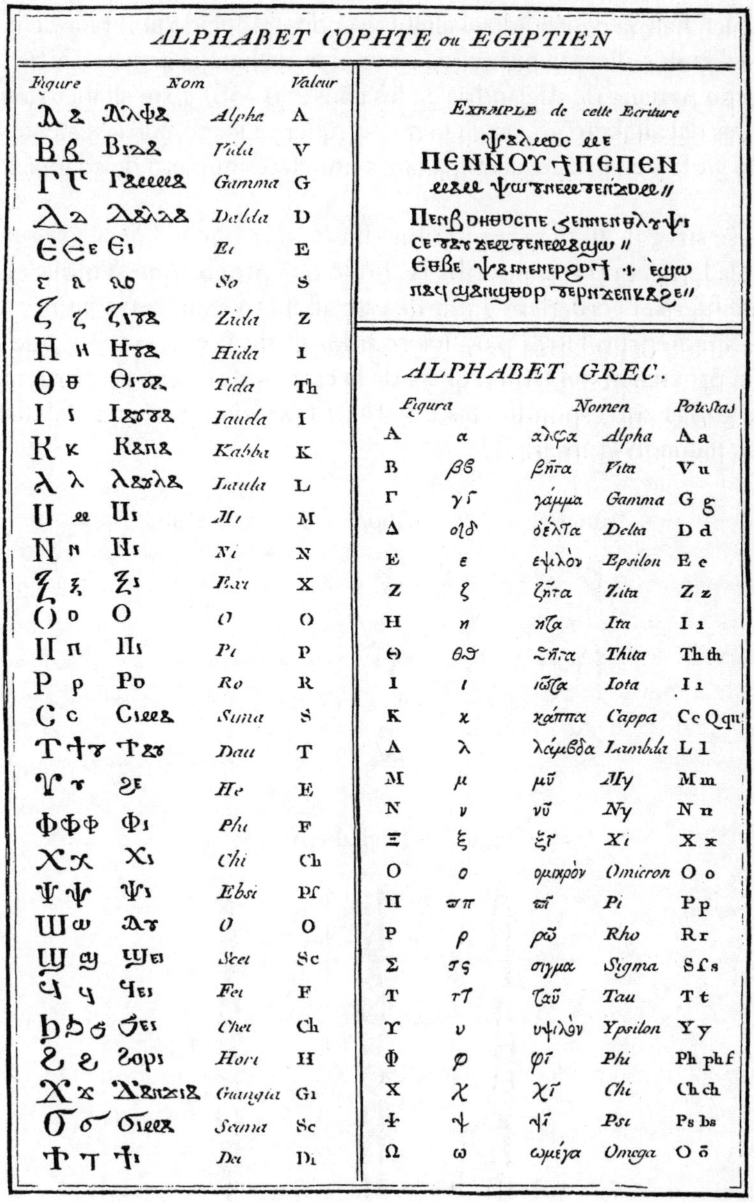

Fuente: *Enciclopedia* de Diderot y d'Alembert.

El *alfabeto godo*

Según la tradición, sería el obispo Wulfila (311-383), de origen capadocio, quien habría concebido el alfabeto godo, traducido la Biblia y convertido a los godos al cristianismo (en su versión de herejía arriana, iniciada por el obispo Arriano de Alejandría en los años 280-336). Este alfabeto parte de las letras del alfabeto griego en lo que se refiere a los sonidos existentes en la lengua goda y en griego, acompañadas por cierto número de adaptaciones:

—se sirve de Φ para transcribir /hw/;
—la letra eta (H) transcribe la /h/, lo que prueba que Wulfila, en caso de que fuera el verdadero autor de este alfabeto, conocía el latín;
—añade ocho letras para los sonidos h, th, j, u, r, s, f y o, que no se sabe si provienen del latín o quizá de la escritura rúnica. En particular las letras godas correspondientes a F, U y O podrían provenir del alfabeto rúnico llamado «futhark»:

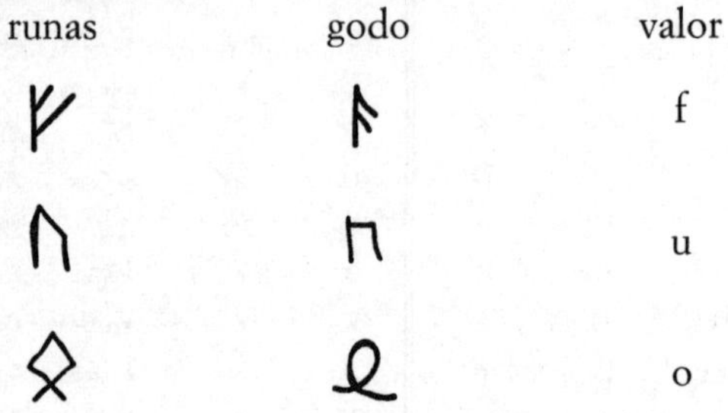

Figura 4. El alfabeto godo

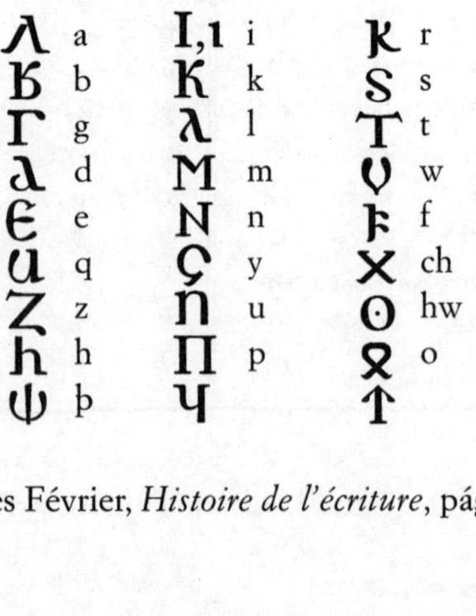

Fuente: James Février, *Histoire de l'écriture*, pág. 422.

Las runas

Este sistema de escritura germánico aparecería hacia el siglo I o II, encontrándose rastros hasta la Edad Media.[2] En islandés antiguo *runar* significa «secreto», en sajón antiguo *runa* quiere decir «murmullo», mientras que en irlandés *run* y en galo *rhin* significan también «secreto»... De este modo las runas, cuya invención la tradición nórdica atribuye al dios Odín, debieron tener en su origen fines mágicos. Un pasaje de Tácito relativo a los antiguos germánicos apoya esta tesis:

> Su técnica de adivinación es de lo más sencilla. Cortan la rama de un árbol con sus frutos y tallan bastoncillos sobre los cuales efectúan diversas incisiones distintivas: luego los arrojan encima de una tela blanca totalmente al azar. Entonces el sacerdote oficial, en caso de que la consulta se realice en nombre del Estado, o el jefe de familia, si se trata de algún tipo de adivinación privada, dirige su ruego a los dioses y elige, mirando al cielo, un bastoncillo en cada una de las tres tiradas efectuadas. Después interpreta los bastoncillos seleccionados de la manera descrita, según las marcas grabadas previamente.[3]

Tales prácticas adivinatorias recuerdan a las de los chinos, puesto que los primeros caracteres, en forma de incisiones sobre hueso, se utilizaban en osteomancia. En cuanto a los tres bastoncillos elegidos por el adivino, tal vez se encuentren en relación con las tres familias de runas que presentaremos dentro de un momento.

En la actualidad, muestras de esta escritura todavía se pueden contemplar sobre piedra o sobre objetos metálicos (existen quinientas piedras de este tipo en Dinamarca, setecientas cincuenta en Noruega y más de tres mil en Suecia),[4] pero es más que probable que muchas de ellas fueran grabadas también sobre trozos de madera que no han resistido el paso del tiempo o sobre tablillas de haya, según proponen algunos especialistas recurriendo a argumentos lingüísticos. Y es que, en efecto, *buche* significa en alemán «haya», volviéndose a encontrar el término en *buchstabe*, «letra» y, en sentido literal, «incisión sobre haya». El inglés *book* nos con-

2. Acerca del alfabeto rúnico, véase François-Xavier Dillmann, *Les Runes*, tesis, Ruán, 1976; Sven Jansson, *Runes in Sweden*, Värnamo, 1987; Régis Boyer, *Les Vikings*, Plon, 1992, y *Runstenar i Södermanland*, Södermanlands Museum, Nyköping, 1984, así como, en otro registro, L. Musser, *Introduction à la runologie*, París, Aubier, 1965.

3. Citado por James Février, *op. cit.*, pág. 511.

4. Boyer, *op. cit.*, pág. 59.

duce al mismo origen (anglosajón *boc*, «libro» y «haya»), mientras que el verbo *to write*, «escribir», proviene de una raíz que significa «realizar incisiones en la madera con cuchillo».

Uno de los principales problemas planteados por las runas es que, dentro de las diferentes formas adoptadas por estos alfabetos y a través de más de diez siglos, el orden de las letras, siempre inmutable, no tiene nada en común con el de los alfabetos, herencia de un antecesor semítico común (a, b, c...). Este orden se puede rastrear en gran número de piedras, como por ejemplo *la piedra funeraria de Kylver* (Gotland), que se remonta al siglo V y que muestra en una serie ordenada las veinticuatro runas: la última ⿻, y, arriba, ⟨ΝΙ∧⟨ *sueus*.

Se puede ver en ⿻ una t (↑) con dos series de seis ramas como invocación al dios Tyr (nombre de la runa). En cuanto a *sueus* no se conoce su sentido, pero, como a menudo sucede con las palabras «mágicas», quizá se trata de un palíndromo, lo que quiere decir que se puede leer en ambos sentidos. Más adelante veremos que las runas eran utilizadas para componer mensajes secretos.

En cuanto a los nombres de las diferentes letras su origen es acrofónico. El campo semántico de estos nombres de letras nos recuerda que estamos ante una sociedad de ganaderos y agricultores (ganado, pastoreo, caballo, semental, propiedad), preocupada por las condiciones meteorológicas (lluvia, granizo, hielo, año), lo que en gran medida concuerda con la idea de un origen mágico: por medio de consultas adivinatorias los antiguos germanos querían saber si sus cabezas de ganado iban a prosperar, si las condiciones climáticas serían propicias, etc. Por lo tanto, cabe preguntarse si la forma de las letras no guarda también relación con este campo semántico y si tiene (como en el caso de la A, que proviene de una cabeza de buey) un origen pictográfico anterior a su origen acrofónico. Estos alfabetos (de veinticuatro o de dieciséis letras) disponen de cierta característica común: una línea vertical de la cual nacen otras oblicuas. La ausencia de líneas paralelas al sentido de la escritura ha sido explicada de diversas formas. Según James Février «resulta más sencillo realizar incisiones en la madera con trazos perpendiculares u oblicuos que con trazos paralelos al sentido de la fibra de la madera; estos últimos tienen el riesgo de resquebrajar su superficie».[5] Por su parte, André Martinet explica que «las inci-

5. James Février, *op. cit.*, pág. 504.

siones verticales, que atravesaban las fibras, a pesar de ser muy visibles, se podían confundir con las horizontales».[6] He aquí los distintos alfabetos rúnicos de los cuales tenemos noticia, presentados en orden cronológico:

alfabeto de veinticuatro letras

f u th a r k g w h n i j p é z s t b e m l ng d o

alfabeto danés de dieciséis letras

f u th o r k   h n i a s   t b m l R

alfabeto sueco-noruego de dieciséis letras

f u tha r k   h n i a s   t b m l R

Examinemos una por una estas diferentes letras con el fin de intentar arrojar alguna luz sobre la cuestión de su origen.

Primer grupo: f u th a r k (gw)

valor: f

Nombre godo *faihu*, «ganado», anglofrisón *feoh*, noruego *fé*, protogermánico *ehu*, con el mismo sentido. De hecho, el término significa a la vez «ganado» y «riqueza», al igual que en numerosas otras lenguas (en inglés *fee*, del sajón *feoh*, «ganado», y en castellano *pecuniario*, del latín *pecus*, «ganado», etc.).
Por lo que se refiere a la forma de la letra, partiendo del principio de que las líneas oblicuas resultan preferibles siempre a las líneas horizontales, su origen latino (F) resulta evidente.

6. André Martinet, *Des steppes aux océans*, París, Payot, 1986, pág. 90.

valor: u

En cuanto al nombre de la letra, las cosas no están aquí tan claras: godo *uris*, «lluvia», noruego *ur*, «escoria», anglofrisón *ur*, «uro», protogermánico **uruz*, «uro».
Por su forma, tal vez se advierta en esta runa una U invertida.

valor: th

Nombres: godo *theith*, «rosado», noruego *thurs*, «gigante», anglofrisón *thorn*, «espina», protogermánico **thurisaz*, «gigante».
Por su forma, se puede ver en esta runa la phi griega.

valor: a/o

Nombres: godo *ahsa*, «eje», anglofrisón *os*, «dios», noruego *Ase* (un dios), protogermánico **ansuz*, el dios Ase. ¡De origen más que oscuro!

valor: r

Nombres: godo *raida*, «carro», anglofrisón *rad*, «cabalgada», noruego *reid*, «viaje», protogermánico **raido*, «cabalgada». Su forma delata un evidente origen latino.

valor: k

Nombres: godo *kusma*, «tumor», noruego *kaun*, «abceso», protogermánico **kaunan*, «furúnculo».
Por la forma, recuerda a una K latina de la cual se hubiera suprimido la línea vertical.

valor: g

(Esta runa no existe en el alfabeto de dieciséis letras.)
Nombres: godo *giba*, «don», anglofrisón *geofu*, «don», protogermánico **gebo*, «don».
Por la forma, recuerda a la C griega, sin que esta hipótesis se haya impuesto del todo.

valor: w

(Esta runa no existe en el alfabeto de dieciséis letras.)
Nombres: godo *winja*, «pastos», anglofrisón *wynn*, «bienestar», protogermánico **wunjo*, «alegría».
No se percibe ningún origen claro con relación a su forma.

Segundo grupo: h n i j/a (péz) s

valor: h

 Nombres: godo *hagl*, «granizo», anglofrisón *haegl*, «granizo», noruego *hagall*, «granizo».
Su forma cambia en el alfabeto de dieciséis letras. Se puede ver en la primera variante una deformación de la H.

valor: n

Nombres: godo *nauth*, «necesidad», anglofrisón *nied*, «necesidad» noruego *naudh*, «servidumbre». Origen oscuro. ¿Se trata quizá de una simplificación de la N?

valor: i

Nombres: godo *eis*, «hielo», anglofrisón *is*, «hielo», noruego *iss*, «hielo».
Su origen formal se encuentra evidentemente en la I romana.

valor: j/a

 Nombres: *jer*, anglofrisón *gear*, noruego *ar*. Su origen no es evidente, su forma es distinta en los tres alfabetos.

valor: p

Nombres: godo *pairthra*, anglofrisón *peorth*, «caballo».
Desaparece en el alfabeto de dieciséis runas.
¡Origen oscuro!

valor: e

Nombres: *eoth*, «tejo».
Desaparece en el alfabeto de dieciséis runas.
¡Origen oscuro!

valor: z

 Nombres: godo *aizik*, ¿«moneda»?
Desaparece en el alfabeto de dieciséis runas.
¡Origen oscuro!

valor: s

Nombres: godo *sauil*, anglofrisón *sigel*, noruego *sol*, «sol».
Se percibe en la primeras formas de la Σ griega, enseguida trans-
formada en ↳.

Tercer grupo: t b (e) m l (ng d o) r

valor: t

Nombres: godo *tyr*, «dios», anglofrisón *tir*, «honor», noruego
tyr, «dios».
Su origen formal está en la T latina.

valor: b

Nombres: godo *bairkna*, anglofrisón *beorc*, «abedul», noruego
biarkan, «rama de abedul».
Esta runa proviene evidentemente de la B latina.

valor: e

Nombres: godo *aiweis*, «semental», anglofrisón *eiojh*, «caballo».
Desaparece en el alfabeto de dieciséis runas.
Quizá su origen está en una E invertida.

valor: m

Nombres: godo *manna*, anglofrisón *man*, noruego *mathr*, «hombre».
La forma cambia en los tres alfabetos. Se intentaba sin duda diferenciar esta runa de la precedente.

valor: l

Nombres: godo *lagus*, anglofrisón *lagu*, noruego *logr*, «agua».
Origen: ¿una L invertida?

valor: ng

Nombres: godo *iggws*, anglofrisón *ing*, nombre de un héroe.
Desaparece en el alfabeto de dieciséis runas.
Origen oscuro.

valor: d

Nombres: godo *dags*, anglofrisón *daeg*, «día».
Desaparece en el alfabeto de dieciséis runas.
Origen oscuro.

valor: o

Nombres: godo *othal*, «propiedad», anglofrisón *othel*, «patri-
monio».
Desaparece en el alfabeto de dieciséis runas.
Por su forma, se trata sin duda de la O latina.

valor: r

Nombre: noruego *yr*, «tejo, arco».
Aparece en el alfabeto de dieciséis runas.
Su origen es quizá pictográfico: un arco y una flecha.

Tal y como se puede comprobar, la forma de más de la mitad de las runas sugiere el préstamo, la influencia, de los alfabetos mediterráneos (latín y griego) antes que un origen pictográfico. El nombre de runas les habría sido impuesto a partir de su valor fonético, por un procedimiento
que podríamos calificar de «acrofonía invertida». Por último, el paso de
veinticuatro runas a dieciséis corresponde a cierta evolución fonológica:
se suprimieron determinadas letras porque los sonidos de los cuales eran
notación acabaron por desaparecer.

Hacia el siglo X aparecería otro nuevo alfabeto rúnico, que ha sido
bautizado como «de runas punteadas»:

A D C D E F G H I K L M N O P R S T TH U,V Y Ä Ö

En este alfabeto se percibe cierta conciencia fonológica, por ejemplo en
la oposición de las consonantes sordas y sonoras, señalada por medio del añadido de un punto:

p   k   t

b   g   d

o también en la notación del sistema vocálico:

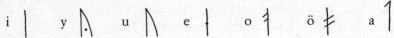

El contenido de las inscripciones resulta habitualmente de tipo conmemorativo, pudiéndose aproximar a una fórmula general del tipo: «X ha erigido esta piedra en memoria de Y, fallecido en Finlandia». Incluimos algunos ejemplos de lo dicho:

—en una piedra del siglo XI encontrada en Sigtuna se puede leer:

Los miembros de la guilda frisona han erigido esta piedra en memoria de Torkel, miembro de nuestra guilda. Que Dios acoja su alma. Estas runas fueron grabadas por Torbjörn.

—en Västergötland, sobre una piedra del siglo XI, se lee: «Gisle levantó este monumento en memoria de su hermano Gunnar»;

—pero la más interesante de todas ellas es sin duda la piedra de Rök, en Östergötland, datada hacia el año 800 (véase la figura 5). La totalidad del texto no ha podido ser traducido todavía. He aquí lo que hasta el momento se comprende:

a f t	*u a m u th*	*s t o n t a*	*r u n a r*
aft	*Voemo* ð	*standa*	*runar*
para	Vaemod	son erigidas	runas

th a r	*in*	*v a r i n*	*f a t h i f a t h i r*	*a f t*
ar þ	*En*	*Varin*	*fa* ð*i* *fa* ð*ir*	*aft*
éstas	y	Varin	(las) graba, (su)padre	por

f a i k i o n	*s u n u*
faigian	*sunu*
muerte	hijo

Después, al final de un extenso texto poético, aparecen dos pasajes cifrados. En principio se trata de lo que parece ser un texto en runas, aunque despojado de sentido, y que se lee del siguiente modo:

airfbfrbnhnfinbantfanhnu

Figura 5. La piedra de Rök

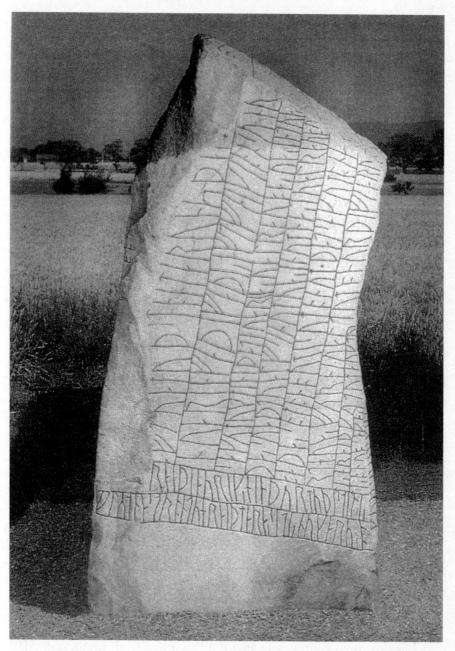

Fuente: foto en Jansson, pág. 33.

Pero, si se reemplaza cada una de las letras por la que le sigue en el alfabeto, se obtiene:

sakumukminiuaimsiburini

es decir:

sagum mogminni hvaim se burinn ni,
«Yo recito una antigua leyenda en la cual nace un joven guerrero».

En otra de estas piedras, en la base, se encuentra este grafismo en apariencia sibilino:

Fuente: Jansson, pág. 35.

En realidad, si se pretende descifrar este texto, será necesario comprender primero que las tres familias de runas han sido empleadas a la inversa, es decir:

1. tbmir
2. hnias
3. fthark

Las grandes X, seis, no son más que soportes de indicaciones numéricas. El número de trazos sobre el aspa de la X que desciende de izquierda a derecha indica el tipo de familia, y el número de trazos sobre el aspa de la X que sube de izquierda a derecha indica el rango de la runa dentro de esta familia. Algunas runas han sido añadidas, por otra parte, entre las aspas o en el centro de la inscripción. Sabiendo esto, la primera de las «X» nos indica:

—arriba: segunda familia, quinta runa, es decir, S,
—abajo: segunda familia, tercera runa, es decir, I.

Las dos runas centrales se leen B e I, por lo que el conjunto da SIBI, forma diminutiva del nombre Sigbjorn.

El conjunto de la inscripción así descrita se puede leer entonces como:

sibi uiauari ul niru r

lo que significa:

Sibi viavari ol nirø r,
«Sibi, de Vi, noventa años, ha tenido un hijo» (ha procreado).

Otro sistema de cifrado es el que aparece en la piedra Rotbrunna (Uppland). El grabador inscribió del siguiente modo su nombre, utilizando trazos largos para indicar el tipo de familia (poniendo, como en la piedra de Rök, las familias al revés) y trazos cortos para indicar el rango de la runa:

2,4	2,3	3,5	2,3	3,6	3,5
a	i	r	i	k	r

A lo que se añade, en runas normales, *hiuk*. El conjunto se lee *airick hiogg*, es decir, «Eric hace incisiones» (graba).

Desde luego, faltaría saber la razón por la cual determinados pasajes fueron escritos de formas tan crípticas, aunque seguramente se trataba de evitar así algún tipo de maldición.

El uso de las runas iría desapareciendo progresivamente a lo largo de la Edad Media, si bien se podrán encontrar inscripciones fechadas incluso en épocas tan tardías como el siglo XIX, tratándose en tales ocasiones de una mezcla de runas y de caracteres latinos. Paralelamente, en Irlanda y País de Gales aparecería hacia el siglo V la llamada escritura ogámica, bastante similar en principio a la escritura rúnica. Está compuesta por veinticinco signos repartidos en cinco grupos (aunque el quinto sería añadido en época posterior).

Se trata de series de líneas trazadas a izquierda o derecha con relación a una línea saliente, o a caballo de ella, horizontalmente o en transversal. Cada letra dispone de un nombre por «acrofonía invertida», como en el caso de las runas: la a se llama *ailm* (abeto), la b *bethe* (abedul), la d *daur* (roble), etc.[7] Las inscripciones en escritura ogámica aparecen especialmente sobre piedras funerarias, aunque al igual que en el caso de las ru-

7. Février, *op. cit.*, pág. 521.

nas es probable que las posibles inscripciones sobre madera no hayan podido resistir el paso del tiempo.

Los alfabetos armenio y georgiano

Los alfabetos armenio y georgiano datan aproximadamente de la misma época (siglo V d.C.) y, si bien ambas lenguas no están emparentadas entre sí (el armenio constituye una rama particular de la familia indoeuropea y el georgiano pertenece al grupo euskaro-caucásico), sus sistemas fonológicos poseen caracteres comunes que han permitido la configuración de dos alfabetos bastantes semejantes.

El alfabeto armenio (véase la figura 6) parece el más antiguo. Según la tradición fue creado por san Mesropo (muerto en el año 441). James Février indica que «el alfabeto armenio, por su misma precisión, da la impresión de haberse visto conformado de repente, al menos en lo que se refiere a su organización, y no de ser fruto de un largo proceso de evolución».[8] Con todo, ya fuera creado por san Mesropo o no, ¿de dónde puede provenir este alfabeto? Hay quienes creen que está inspirado en el iranio (el alfabeto pahlevi, escritura de los partos, derivado del arameo); y otros, en el griego. En realidad, en el pahlevi se transcriben las consonantes, mientras que el alfabeto armenio transcribe las vocales, cosa que apoyaría la tesis griega. Pero aunque, tal como se piensa generalmente, las treinta y seis letras propias del alfabeto armenio provienen del griego (treinta y una consonantes y cinco vocales), la relación entre ambas lenguas no resulta tan estrecha en lo formal como en lo estructural.

En lo referente a la forma de las letras, J. Février les atribuye influencias del griego: tres letras (la γ, ll, la ϕ, Ⴔ y la Ⴟ, χ), lo que no sería en principio mucha. Pero es necesario diferenciar entre el significante (la forma material de las letras) y la estructura. Tal vez ciertas formas hayan sido tomadas en préstamo del pahlevi, o bien inventadas, pero es indudable que toda la estructura del alfabeto está inspirada en el griego. En apoyo de esta tesis, cabe invocar *la función original del alfabeto*, como en otros casos creado también con el fin de traducir las escrituras bíblicas. No obstante, el pahlevi era la escritura de los textos avésticos de la religión zoroástrica, transformadora de la antigua religión irania, y por esta razón es poco probable que la escritura de una religión se utilizara para los textos sagrados de otra, que era su rival.

8. *Ibid.*, pág. 428.

Figura 6. Alfabetos armenios

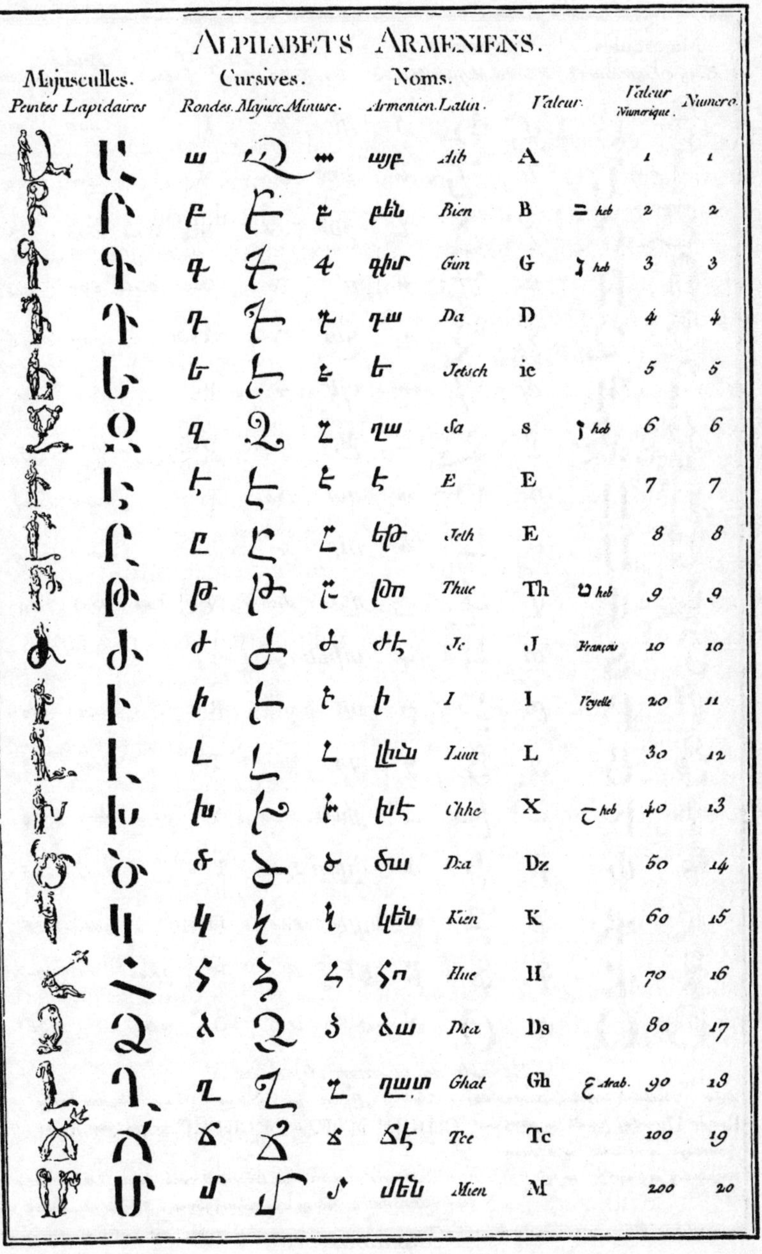

ALPHABETS ARMENIENS.							
Majuscules.	Cursives.			Noms.			
Peintes Lapidaires	Rondes.	Majusc.	Minusc.	Armenien.	Latin.	Valeur.	Valeur Numerique.	Numero.
	ա	Ա	...	այբ	Aib	A		1	1
	բ	Բ	բ	բէն	Bien	B	ב heb	2	2
	գ	Գ	գ	գիմ	Gim	G	ג heb	3	3
	դ	Դ	դ	դա	Da	D		4	4
	ե	Ե	ե	ե	Jetsch	ie		5	5
	զ	Զ	զ	զա	Sa	s	ז heb	6	6
	է	Է	է	է	E	E		7	7
	ը	Ը	ը	ըթ	Jeth	E		8	8
	թ	Թ	թ	թօ	Thue	Th	ט heb	9	9
	ժ	Ժ	ժ	ժէ	Je	J	Français	10	10
	ի	Ի	ի	ի	I	I	Voyelle	20	11
	լ	Լ	լ	լիւն	Liun	L		30	12
	խ	Խ	խ	խէ	Chhe	X	ח heb	40	13
	ծ	Ծ	ծ	ծա	Dza	Dz		50	14
	կ	Կ	կ	կէն	Kien	K		60	15
	հ	Հ	հ	հօ	Hue	H		70	16
	ձ	Ձ	ձ	ձա	Dsa	Ds		80	17
	ղ	Ղ	ղ	ղատ	Ghat	Gh	ع Arab.	90	18
	ճ	Ճ	ճ	ճէ	Tce	Tc		100	19
	մ	Մ	մ	մէն	Mien	M		200	20

Fuente: *Enciclopedia* de Diderot y d'Alembert.

Figura 6. (*Continuación*)

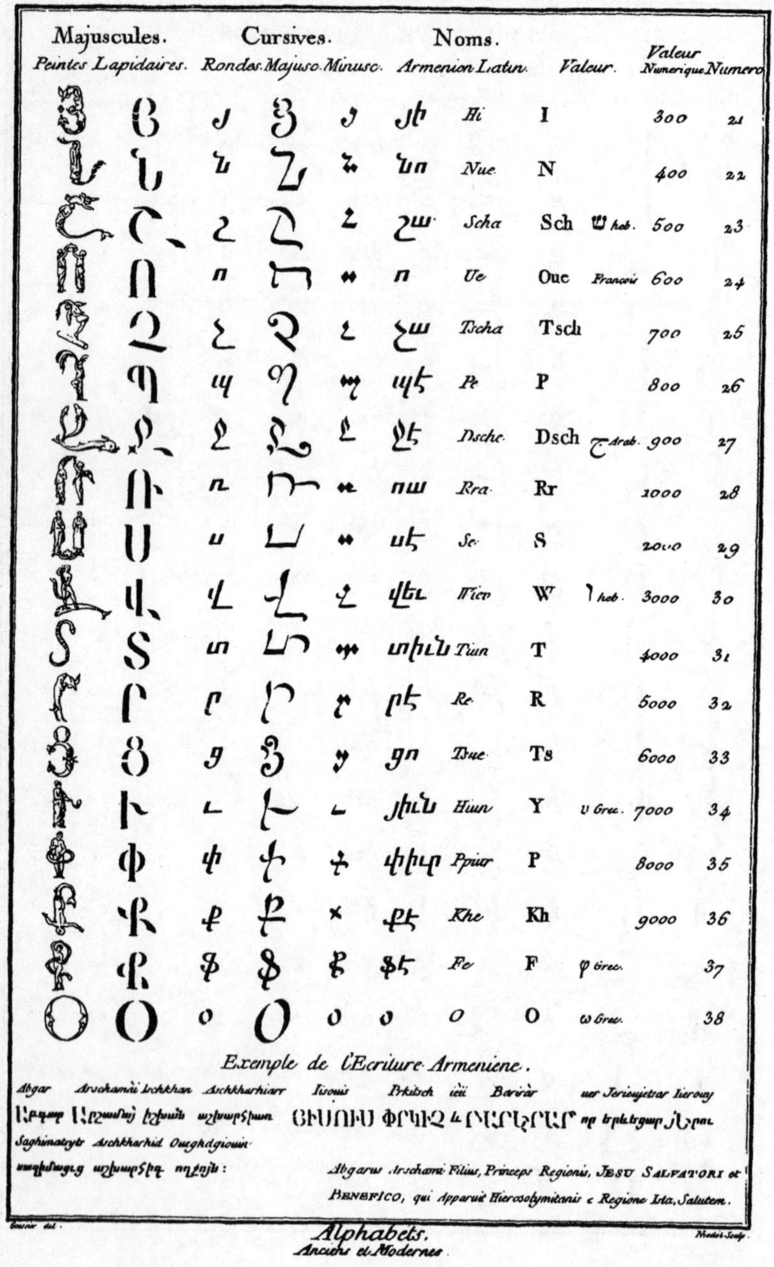

Majuscules.		Cursives.			Noms.			Valeur	
Peintes Lapidaires.		Rondes.	Majusc.	Minusc.	Armenien	Latin.	Valeur.	Numerique	Numero
	Ϭ	ɹ	Ȝ	ȝ	Ժէ	Hi	I	300	21
	Ն	ʋ	Ն	ն	Նո	Nue	N	400	22
	Շ	շ	Ʒ	շ	Ͻш	Scha	Sch	₩ *heb*. 500	23
	Ո	ո	Ꞁ	⸗	П	Ue	Ouc *François* 600		24
	Չ	ɕ	Ꞁ	₹	Ͻш	Tscha	Tsch	700	25
	Պ	ɥ	Ꞁ	⸗	ɥɿ	Pe	P	800	26
	Ջ	ɀ	Ꞁ	₹	Ꝛɿ	Dsche.	Dsch ₹ *Arab*. 900		27
	Ռ	ռ	Ꞁ	⸗	Пш	Rra	Rr	1000	28
	Ս	ν	Ꞁ	⸗	νɿ	Se.	S	2000	29
	Վ	ɭ	Ꞁ	ɀ	ɭɞɭ	Wiev	W) *heb*. 3000		30
	Տ	ɯ	Ꞁ	⸗	ɯɿʋ	Tiun	T	4000	31
	Ր	ր	Ꞁ	ɾ	ɾɿ	Re.	R	5000	32
	Ց	ɡ	Ȝ	⸗	ɡп	Tsue	Ts	6000	33
	Ւ	ʟ	Ꞁ	ʟ	ʃɿʋ	Huun	Y υ *Grec*. 7000		34
	Փ	փ	₹	₹	փɿɿɥ	Ppiur	P	8000	35
	Ք	₽	Ꝗ	×	₽ɿ	Khe	Kh	9000	36
	Ֆ	ֆ	ֆ	ֆ	ֆɿ	Fe	F φ *Grec*.		37
	O	o	O	o	o	O	O ω *Grec*.		38

Exemple de l'Écriture Arméniène.

Abgar   Arschamü Isckhan Aschkharhiarr   Iisouis   Prkitsch icü   Barüàr   uer Ieriesuietrar Ierouay

 Կրգար Կրշամրղ Իշխան աշխարհիար ԵՆՈՈՆ ՓՐԿԻՉ Ⴑ ՈՐՐՐԵՐ՟Ր՟ որ երեւեցաւ Ⴑ յրու
Saghimatoytr Aschkharhid Oueghdgiouin

սաղիմացւց աշխարՏէՐ. ողՅյն:

Abgarus Arschami Filius, Princeps Regionis, JESU SALVATORI et
BENEFICO, qui Apparuit Hierosolymitanis e Regione Ista, Salutem.

benoir del.   Mador-Sculp.

Alphabets.
Anciens et Modernes.

El alfabeto georgiano (véase la figura 7) o *anban*, por el nombre de las diez primeras letras, existe bajo dos formas bastante diferentes: el *khutsuri* (alfabeto eclesiástico o «sagrado», en la actualidad empleado únicamente para los textos religiosos) y el *mkhedruli* (que aparece bajo la columna «georgiana» de la figura 7). ¿Será griego su origen? ¿Quizás iranio? ¿O sencillamente armenio? También en este caso, la concepción general del alfabeto parece haber sido tomada en préstamo del griego, derivando tal vez la forma de las letras del armenio.

Figura 7. El alfabeto georgiano

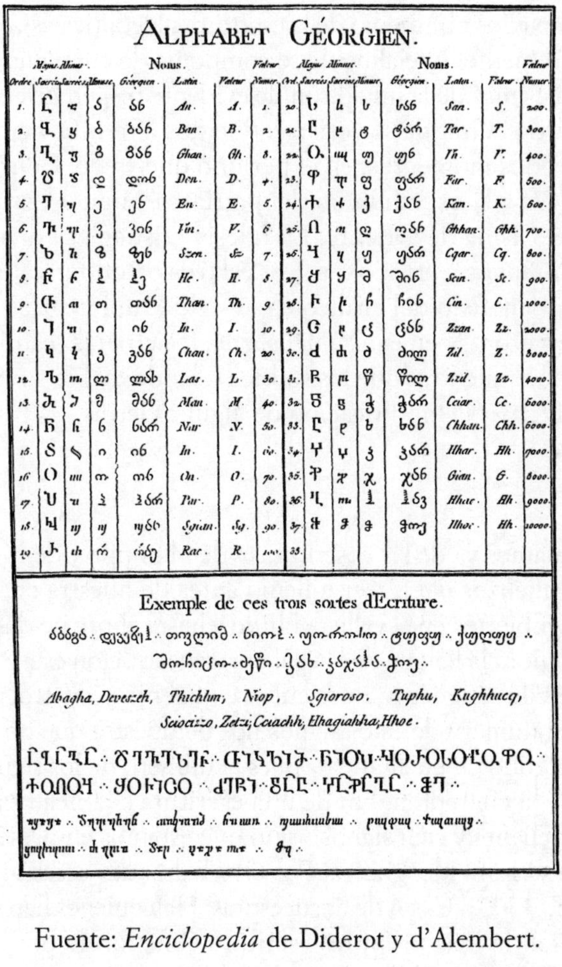

Fuente: *Enciclopedia* de Diderot y d'Alembert.

El glagolítico y el cirílico

La última etapa de la línea griega en Europa está representada por los alfabetos glagolítico y cirílico. La escritura de las lenguas eslavas corresponde, una vez más, a la expansión de la religión. Cuando los monjes Cirilo y Método emprendieron la tarea de catequizar Bulgaria y Moravia, en el siglo IX d.C., tradujeron los Evangelios y elaboraron el alfabeto glagolítico, el cual comprende cuarenta caracteres. A pesar de la tradición (y de la etimología) que hace de Cirilo el inventor de la escritura cirílica, en la actualidad sabemos que este monje fue en realidad el creador de esa escritura glagolítica que más tarde serviría de modelo al cirílico. Cirilo y Método harían traducir al eslavo los Evangelios por medio de la escritura glagolítica así, el cirílico sería obra de san Clemente. Inicialmente se componía de cuarenta y tres caracteres, de los cuales más de la mitad son de evidente origen griego, aunque en época de Pedro el Grande se verían reducidos a treinta y cuatro.

Entre esos dos momentos, en el período que va del Concilio de Constantinopla (867) a la excomunión del patriarca Miguel Cerulario (1054), se consumó el Cisma de Oriente. La Iglesia cristiana se dividió entonces en católicos romanos y ortodoxos. Los eslavos ortodoxos abandonaron el glagolítico en beneficio del cirílico en el siglo XIII, mientras que los católicos lo conservaron. Y en la ex Yugoslavia, los croatas (católicos) utilizan el alfabeto latino, mientras que los serbios (ortodoxos) se sirven del cirílico después de efectuar la modificación de algunas letras.

LA LÍNEA INDIA

Antes hablamos ya de las «escrituras» de Harappa y de Mohenjo-Daro, fechadas a comienzos del tercer milenio antes de nuestra era, una serie de grafismos descubiertos en el valle del Indo y hasta ahora no descifrados. Por otra parte se ignora la lengua de la cual era transcripción esta escritura «protoindia», que contiene entre doscientos cincuenta y cuatrocientos signos. Pero ya sólo el número de estos signos nos demuestra que no se puede tratar en modo alguno de un alfabeto (pues el número de los signos no pasaría en ese caso de la cuarentena) ni de una escritura silábica (tendríamos entonces entre ochenta y cien signos), sino que estamos en presencia, en todo caso, de una escritura ideográfica. Por otro lado, esta «escritura» desapareció hacia el año 1500 a.C. sin dejar sucesoras. Hay quienes han sugerido ciertos vínculos con la más primitiva escritura cuneiforme por mediación de Susa y de Tepe Yahya, es decir, en virtud de un pasaje que uniría Meso-

Figura 8. Los alfabetos eslavos actuales

ALFABETO RUSO (CIRÍLICO) Letras específicas de los alfabetos

mayúscula	minúscula	valor	mayúscula	minúscula	valor	mayúscula	minúscula	valor
А	а	a	Т	т	t	BÚLGARO		
Б	б	b	У	у	you	Ѫ	ѫ	
В	в	v	Ф	ф	f			
Г	г	g	Х	х	kh	SERBIO		
Д	д	d	Ц	ц	ts	Љ	љ	ly (i palatalizada)
Е	е	ié, é	Ч	ч	tch	Њ	њ	gn (n palatalizada)
Ж	ж	j	Ш	ш	ch	Ћ	ћ	tch
З	з	z	Щ	щ	chtch	Ђ	ђ	dy (d palatalizada)
И	и	i	Ъ	ъ	e muda	Џ	џ	dj, dch
І	і	i	Ы	ы	y (idur)			
К	к	k	Ь	ь	signo de palatalización de consonante			
Л	л	l						
М	м	m	Ѣ	ѣ	iê, ê			
Н	н	n	Ѳ	ѳ	é			
О	о	o	Ю	ю	iou			
П	п	p	Я	я	ia			
Р	р	r	Ѳ	ѳ	f			
С	с	s	Ѵ	ѵ	i			

Fuente: James Février, pág. 436.

potamia y el Penjab, lo que convertiría a los primeros alfabetos semíticos en la fuente única de todos los alfabetos del mundo. Luego expondremos otras argumentaciones en este mismo sentido, si bien no se precisa necesariamente de ningún eslabón protoindio para demostrar que todos los alfabetos asiáticos provienen sin duda del fenicio.

Los primeros silabarios hindúes

Sería hacia el siglo III a.C., o sea mucho tiempo después de la desaparición de las primeras escrituras del valle del Indo, pero también del paso de Alejandro por el mismo lugar (siglo IV a.C.), y sobre todo tras su conquista por el persa Darío I (522-486), cuando iban a aparecer dos escrituras: la escritura *brahmí* y la escritura *kharosthi*.

La escritura kharosthi

Utilizada en el noroeste de India entre los siglos III a.C. y V d.C., la escritura kharosti se escribía de derecha a izquierda al igual que la fenicia y la aramea, de la cual parece ser derivación. Se trata de una escritura silábica: suponía una transcripción de las consonantes que combinaban con la /a/.

ꫝ	ka	Y	ǰa	ꝰ	na	ꜧ	pa	ꞁ	ra
ꞁ	kha	ꝯ	ña	ꝰ	ta	ꝉ	pha	ꝅ	la
ꝑ	ga	ꞇ	ṭa	ꝉ	tha	ꝯ	ba	ꞁ	va
ꞃ	gha	ꞇ	ṭha	ꝰ	da	ꝁ	bha	ꞁ	sa
ꝧ	ča	ꝴ	ḍa	ꝰ	dha	ꭒ	ma	ꝓ	sa
ꝡ	čha	ꞇ	ḍha	ꝰ	na	ꜱ	ya	ꝓ	sa
								ꝲ	ha

Por otro lado, en esta escritura aparece:

—la notación de las vocales aisladas (o iniciales):

a   i   u   e   o   am

—la modificación del grafismo /C+a/ para transcribir la consonante seguida de otra vocal. Así por ejemplo, en el caso de la K:

ka ki ku ke ko kaṃ

Por último, las consonantes aisladas eran incorporadas al signo silábico siguiente. Por ejemplo, era notación de *sta*, es decir, *sa* + , *ta*.

Ciertas semejanzas entre la escritura kharosthi y los signos arameos correspondientes a los mismos sonidos avalan la hipótesis de un origen semítico para este alfabeto. De esta forma:

valor	arameo	kharosthi
ba		
da		
ya		
ra		

Estas similitudes se vieron sin duda atemperadas por el hecho de que era imposible contentarse con una escritura consonántica, por lo que fue preciso realizar diversas modificaciones gráficas con tal de hacer la transcripción de las vocales. Pero sobre todo la historia es la que habla en defensa del origen semítico de este alfabeto, al igual que el de sus sucesores: no deja de resultar significativo que los primeros alfabetos hindúes surgieran tras la conquista por parte de Darío del valle del Indo. En efecto, el arameo era por entonces la lengua vehicular tanto de persas como de griegos, la lengua de la administración, y la escritura aramea se utilizaba tanto para lo relativo a documentos comerciales y diplomáticos como a las inscripciones que acompañaban las monedas.

La escritura brahmí

La escritura kharosthi desaparecería, como hemos dicho, sin dejar descendientes. Por el contrario, la escritura brahmí nos sitúa en los umbrales de la historia de las escrituras indias. Su principio estructural pasa por la transcripción, por medio de un signo único, de la consonante seguida de /a/ (es decir, que no se hace la notación de ninguna consonante aislada):

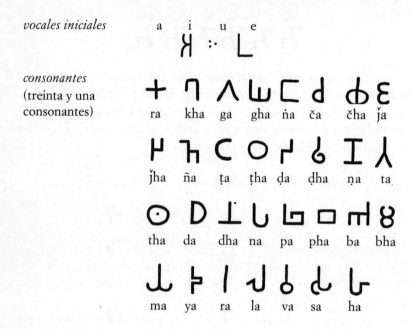

vocales iniciales

     a   i   u   e

consonantes
(treinta y una
consonantes)

   ra   kha   ga   gha   ṅa   ča   čha   ǰa

   ǰha   ña   ṭa   ṭha   ḍa   ḍha   ṇa   ta

   tha   da   dha   na   pa   pha   ba   bha

   ma   ya   ra   la   va   sa   ha

Para transcribir consonantes seguidas de una vocal diferente a la /a/ se añadía una pequeña señal arriba o abajo del carácter base. Por ejemplo, a partir de (ta) se obtenía , ti, , ti, , tu; a partir de (sa) se obtenía , su, etc.

Semejante estructura debía plantear seguramente más de un problema: ¿cómo transcribir la consonante sin vocal en una sílaba del tipo CVC? Claro está que se podía lograr, si bien recurriendo a un sistema poco ágil que consistía en hacer la notación de la consonante en cuestión encima o debajo del signo silábico siguiente, como por ejemplo: a-ra-bhi-tpa, en el cual el signo se compone de (ta) asociado a (pa:). El sistema de escritura brahmí resultaba por lo tanto altamente preciso, aunque en extremo complicado.

Queda todavía por aclarar la cuestión de su origen. Antes del descubrimiento de la «escritura» protoindia, generalmente se pensaba en un origen fenicio. Esta tesis se mantiene, pero de igual modo se podría añadir cierta influencia de los grafismos de Harappa (desaparecidos, no obstante, bastante antes). Sin embargo, en el siguiente cuadro se puede comprobar que las semejanzas entre las escrituras fenicia y brahmí resultan

fenicia siglo XI (de derecha a izquierda)	valor	brahmí siglo III (de izquierda a derecha)	valor
⟨	A	Ħ y Ħ	A breve y A larga
日	B	▢	B
∧	G	∧	G
△	D	D y Ϸ	D
⊗	Ṭ	⊙ y ○	ṬH y ṬK
⅄	K	+	K
⎞	L	⅃	L
∠	P	∪	P

indiscutibles: las alteraciones (en el caso de la a, la p, la l, etc.) se pueden explicar en gran medida por el hecho de que la escritura cambia de dirección (la brahmí se escribe de izquierda a derecha, mientras que los fenicios escribían de derecha a izquierda).

Si bien la escritura kharosthi, como se ha señalado antes, desapareció sin dejar sucesoras, la escritura brahmí, por el contrario, daría nacimiento a cuatro grandes grupos de escrituras que seguidamente pasamos a presentar:

—las escrituras septentrionales,
—las escrituras del Asia central,
—las escrituras meridionales,
—las escrituras orientales (o palí).

Las escrituras septentrionales

Según el parecer de Albertine Gaur,[9] existirían alrededor de doscientos sistemas derivados de la escritura brahmí. En cualquier caso, lo que sí es seguro es que todos los sistemas de la India (excepción hecha de los llegados con el islam) descienden de ella, comprendiendo también aquellos

9. Albertine Gaur, *A History of Writing*, Londres, The British Library, 1984, pág. 108.

otros que, en el sur del país, transcriben lenguas de grupos muy diferentes (lenguas indoeuropeas al norte y dravidianas al sur). Estos alfabetos comparten los siguientes aspectos:

1) Las consonantes son silábicas, lo que quiere decir, tal como demuestra la figura 9, que todas ellas se pueden leer como si estuvieran seguidas por una «a» breve (la vocal más frecuente en la mayoría de estas lenguas).

2) Las vocales tienen forma plena cuando se encuentran aisladas y forma abreviada cuando acompañan a una consonante: antes, después o debajo del signo silábico (comparar por ejemplo la forma /i/ o /u/ de la figura 9 con la que estas mismas vocales adoptan en la notación de /ti/ y /tu/).

3) Las consonantes sin vocales se ligan a otra consonante.

4) Se escriben siempre de izquierda a derecha.

5) El orden de las letras se basa en una estricta organización fonética. En cabeza vienen las vocales breves y largas, después los diptongos, seguidos éstos de siete grupos de consonantes:

las guturales (ka, kha, ga, gha, na),
las palatales (ca, cha, ja, jha, na),
las retroflexas (ta, tha, da, dha, na),
las dentales (ta, tha, da, dha, na),
las labiales (pa, pha, ba, bha, ma),
las semivocales,
las sibilantes (sa, sa, sa) y la aspirada ha.

No nos ocuparemos aquí más que de las principales escrituras septentrionales, cuya relación cronológica se presenta en el siguiente esquema:

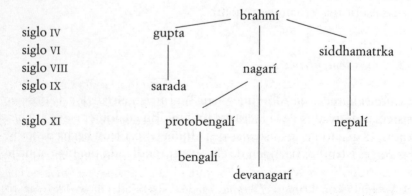

La escritura gupta, la más antigua entre las «hijas» de la brahmí (siglo IV), se denomina así a partir del nombre de una dinastía. Contamos con algunos restos dispersos en inscripciones monumentales y en un manuscrito. Igualmente, los testimonios de la escritura siddhamatrka se encuentran

Figura 9. La escritura devanagarí

	a		ka		ña		na		⎫
	ā		kha		ṭa		pa		⎬ śa
	i		ga		ṭha		pha		⎭
	ī		gha		ḍa		ba		ṣa
	u		ṅa		ḍha		bha		sa
	ū		ča		ṇa		ma		ha
	ṛ		čha		ta		ya		la
	ṝ		ǰa		tha		ra		ḥ (sisarga)
	/ṛ		⎫ ǰha		da		la		
	/ṝ		⎭		dha		va		
	e								

Fuente: James Février, pág. 347.

repartidos por monumentos y manuscritos. Ésta iba a extenderse tanto en China como Japón con el fin de transcribir el sánscrito, siendo luego origen de la escritura nepalí (siglo IX). La escritura sarada, aparecida a comienzos del siglo IX en el Penjap, resulta similar a la gupta. La escritura protobengalí (siglo XI), después bengalí, así como otras escrituras próximas como la oriya o la gujaratí, son en realidad transformaciones de la nagarí, sobre la cual volveremos más tarde. Pero existen, como hemos dicho, numerosos sistemas derivados de la brahmí, que se encuentran todavía en uso en nuestros días.

La palabra *nagara* significa «ciudad»; y *nagarí*, «urbana» o «ciudadana»: la escritura nagarí es por lo tanto «la escritura de los ciudadanos». En la actualidad es denominada devanagarí, la «ciudadana de los dioses» (véase la figura 9). Sirve para transcribir el sánscrito, la lengua sagrada, y el hindi. Es fácilmente reconocible gracias a ese trazo horizontal que aparece encima de las letras (la matra), pudiéndose hacer la notación de las vocales arriba, abajo, a derecha o a izquierda. Esta escritura se compone de diez vocales, cuatro diptongos y treinta y cuatro consonantes.

Ejemplos de notación de vocales con el sonido t:

त ta   ता ta

ति ti   ती ti

तु tu   तू tu

Diptongos:

तॆ te   तै tai

तॊ to   तौ tau

Las escrituras del Asia central: el tibetano

Cuando el budismo se extendió desde India hacia el sur del Turkestán chino y más tarde hacia el Tíbet, la escritura gupta fue adoptada sin experimentar cambios en el primer caso y adaptada a la lengua tibetana en el segundo. Según se cuenta en cierto relato, en el año 630 un rey tibetano se convirtió al budismo y envió a su ministro Thonmi Sambhota a India con la misión de traer los libros sagrados del budismo, para elaborar una escritura con la que traducirlos al tibetano. Que sea o no cierta esta anécdota poco importa, pero resulta significativa porque, una vez

Figura 10. El alfabeto tibetano

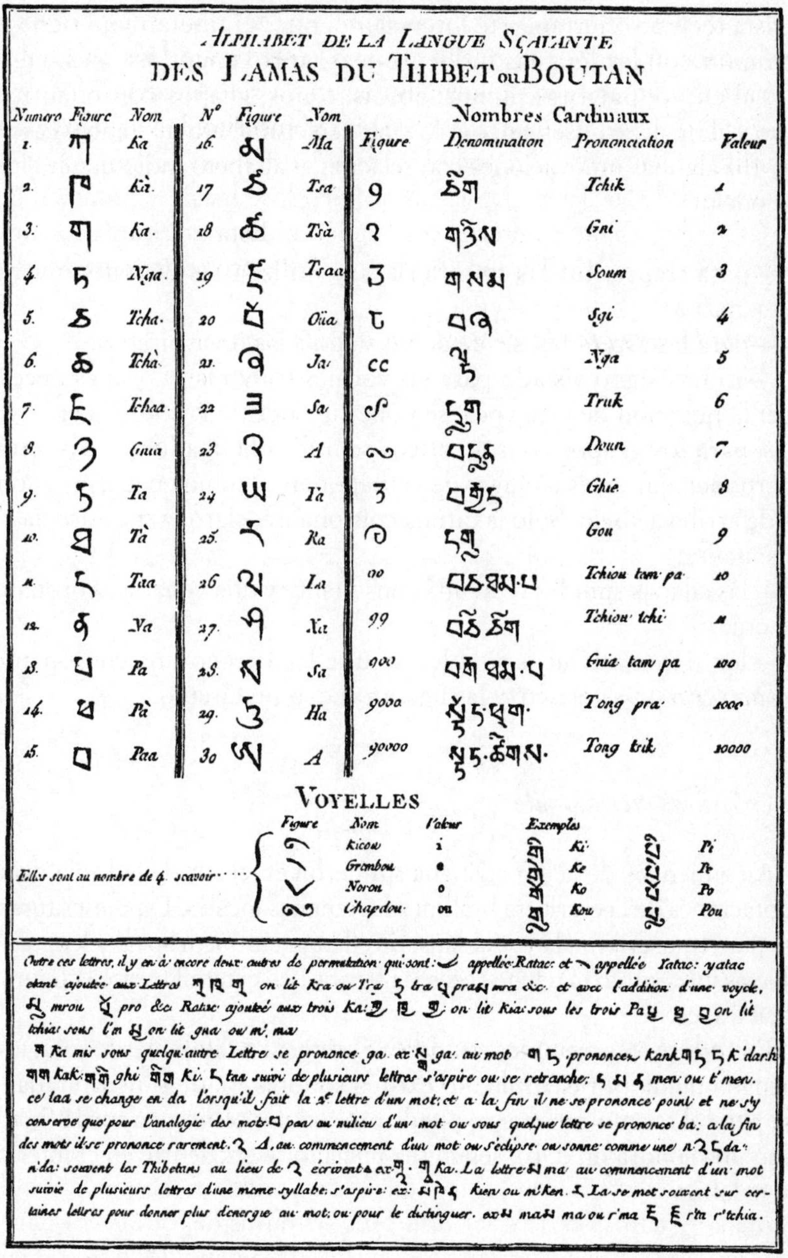

ALPHABET DE LA LANGUE SÇAVANTE
DES LAMAS DU THIBET ou BOUTAN

Fuente: *Enciclopedia* de Diderot y d'Alembert.

más, nos damos cuenta de la importancia de la religión en lo referente a la aparición de las escrituras. Esta adaptación resulta, desde un punto de vista técnico, ciertamente interesante, pues el tibetano no tiene nada en común con las lenguas indoeuropeas, aproximándose más, en todo caso, al chino: palabras monosilábicas, tonos, grupos consonánticos al inicio y al final. Se observan, por lo tanto, en el alfabeto tibetano (véase la figura 10) algunas innovaciones con relación al alfabeto indio que le sirviera de modelo:

—para transcribir las retroflejas,* se utilizan las dentales invertidas (ta/ta, na/na);
—para las aspiradas, se añade un signo a las no aspiradas;
—no hay signo aislado para las vocales (salvo la a), y si es necesario hacer la notación de otra vocal se pone su diacrítico* sobre la a;
—para los grupos consonánticos se utiliza la ligadura.* Las letras se superponen entonces en lugar de yuxtaponerse (como en æ u œ) y son leídas de arriba a abajo. Sólo la última consonante, claro está, se asocia a una consonante;
—las sílabas simples (con una consonante y una vocal) se coronan con una cruz;
—los signos silábicos simples, que se leen como una consonante, se coronan con un asterisco, y las ligaduras con un círculo.

Las escrituras meridionales

A comienzos de la era cristiana surgieron en el sur de la India distintas adaptaciones de la escritura brahmí a las lenguas locales. Estas escrituras servían para transcribir a la vez el sánscrito (lengua indoeuropea) y lenguas dravidianas tales como el telugo (véase la figura 12), el tamil (véase la figura 11), el kanara, etc.

En todos estos ejemplos se adapta el sistema a diferentes fonologías. En la lengua tamil, por ejemplo, no existen sonoras (b, d, g) ni aspiradas (ph, bh), pero el mismo carácter se puede pronunciar como una sorda (k, t, p) o como una sonora (g, d, b), según sea inicial o se encuentre en el interior de una palabra.

* Véase el glosario, al final del libro.

Figura 11. El alfabeto tamil

Fuente: *Enciclopedia* de Diderot y d'Alembert.

Figura 12. El alfabeto telugo

Fuente: *Enciclopedia* de Diderot y d'Alembert.

Las escrituras orientales (o palí)

Se trata de una serie de escrituras algunas de las cuales han servido para transcribir el palí, la lengua tradicional del budismo: escrituras birmana, bugis, javanesa, jémer, tailandesa, etc. Pasemos a presentar tres de estos alfabetos.

La escritura bugis

La lengua bugis era hablada en un primer momento en las islas Céle-bes por un pueblo marinero que, poco tiempo después, iba a dispersarse por las Molucas, las islas de Sonda, Borneo, Sumatra, etc. Los bugis, a los cuales se conoce como *Orang Bugis* en malayo o *Buginese* en inglés, se de-nominan a sí mismos *Ugi* o *Wugi*, siendo en la actualidad aproximada-mente unos tres millones de individuos. Su escritura se desarrolla sobre el mismo principio estructural que la brahmí: la consonante está siempre aso-ciada a una /a/. Por el contrario, no existen signos independientes para las vocales, utilizándose cinco diacríticos.[10]

Las consonantes de la escritura bugis

Ka	Gà	Ḋa	ŊKa	Pa	Ba
Ma	MPa	Ta	Da	Na	NRa
Ca	Ja	Ña	ÑCa	Ya	Ra
La	Wa	Sa	Qa	Ha	

Las vocales, aquí asociadas a /l/

La Li Lu Le Lo

Fuente: U. Sirk, *La Langue bugis*, pág. 32.

El alfabeto javanés

Lo citamos ante todo a causa de una característica original: el orden de las letras se establece por una historia que se cuenta de principio a fin del alfabeto. Veamos este relato tal como se ilustra en un pequeño manual para niños editado en Yakarta:

10. Véase U.H. Sirk, *La Langue bugis, Cahiers d'archipel* nº 10, París, 1979, traduc-ción del ruso.

ha   na   ca   ra   ka

«Había dos mensajeros

da   ta   sa   wa   la

que luchaban;

ambos tenían la misma fuerza,

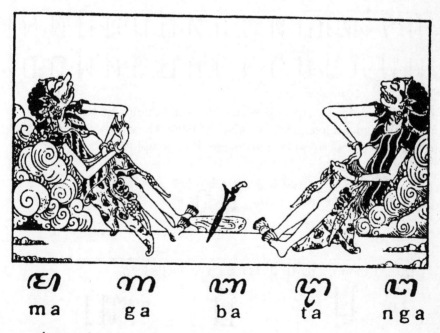

ma   ga   ba   ta   nga

ambos murieron.»

Este relato cuenta con dos interpretaciones tradicionales. Según se dice, el creador de este alfabeto había dejado su *kriss* custodiado por cierto discípulo, explicándole que no debía entregárselo absolutamente a nadie. Después envió a otro discípulo para exigir ese puñal. Los dos se esforzaron valientemente por respetar la orden de su maestro, y así el uno se negaba a ceder el *kriss* al otro y éste insistía por hacerse con él, luchando ambos hasta la muerte. La otra versión nos la ofrece una interpretación taoísta, en la cual los dos «mensajeros» simbolizan dos fuerzas iguales: el yin y el yang.

El alfabeto tailandés

Según se dice, este alfabeto habría sido «inventado» en el año 1283 por el rey Rama Kamhên, inspirándose de hecho en la escritura jémer que, por su parte, provenía de una escritura india. Está compuesta por cuarenta y cuatro consonantes.

ก ข ฃ ค ฅ ฆ ง จ ฉ ช ซ ฌ ญ ฎ
ฏ ฐ ฑ ฒ ณ ด ต ถ ท ธ น บ ป ผ ฝ
พ ฟ ภ ม ย ร ล ว ศ ษ ส ห ฬ อ ฮ

Las vocales y los diptongos, en número de quince, se transcriben por medio de signos a los que se les añade encima (cinco), abajo (dos), delante (cinco) o detrás (tres) la consonante. Por ejemplo:

De este modo, a partir de la letra p se puede leer:

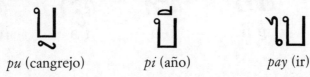

pu (cangrejo)   *pi* (año)   *pay* (ir)

Las tradicionales denominaciones de las consonantes provienen de ciertas palabras de esa lengua que comienzan por el sonido que ellas transcriben. Así, la primera letra del alfabeto se conoce por *goo gaï*, «la g de pollo»; la segunda, por *kho khaï*, «la kh de huevo», etc., y son presentadas en los manuales escolares de la siguiente manera:

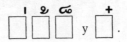

Existen, por otra parte, cuatro signos que indican los tonos y que se sitúan encima de la consonante, a la derecha:

No hemos hablado aquí más que de una reducida muestra de estas escrituras surgidas a partir de la brahmí. Ahora pasaremos a la última línea, la correspondiente a las que se desarrollaron a partir del primer alfabeto semítico.

LA LÍNEA ÁRABE

La aparición del alfabeto árabe resulta característica de la historia de la escritura. En su origen se encuentra un pueblo de caravaneros nómadas que se desplazaban de oasis en oasis, de mercado en mercado, y que hablaban una lengua que no disponía de escritura: no existían, desde luego, condiciones favorecedoras para la aparición de una escritura, que suele surgir de forma general en medios urbanos. Cuando se veían obligados a escribir, los árabes utilizaban un alfabeto derivado del fenicio, el alfabeto nabateo, pero transcribiendo la lengua vehicular comercial de la época, el arameo. Y será este arameo transcrito en alfabeto nabateo lo que poco a poco irá arabizándose para dar nacimiento al actual alfabeto árabe. Se puede seguir esta lenta evolución a partir de algunas inscripciones conservadas. He aquí, por ejemplo, esta *inscripción de Cos* (siglo I d.C.), en nabateo, en la cual se puede leer de derecha a izquierda:

W T B N   K L M   T T R H

Aretas, rey de Nabatea

En el siglo IV d.C. la transformación se había realizado ya por completo: se trata del árabe que se escribe en la actualidad, a pesar de algunas imperfecciones (cierta confusión entre diferentes signos). Así, se puede leer al comienzo de la *inscripción de En Nemâra* (año 328) en árabe:

Fuente: James Février, pág. 264.

B R L KLM W RM R B S Y Q L R M S PN Y T, es decir, TY NPS MR' LQYS BR 'MRW MLK 'L'RB, «he aquí la tumba de Imroulqais, hijo de Amru, rey de los árabes».

Los distintos textos que jalonan esta historia nos permiten establecer cierto número de relaciones:

arameo	nabateo	árabe s. IV	árabe moderno	valor
ሃ	٩	ک	ک	K
∠	ل	ل	ل	L
ሃ	ๆ	ـم	ـم	M
۹	ل	ب	ب	B
۲	ل	ل	ن	N
٩	٦	و	و	W
w	૪	ش	ش	Š
φ	۹		ق	Q
۲	ل		ي	Y
	ظ		ط	T

En realidad, éstas son las ligaduras que hicieron evolucionar la notación de B, N, T, Y y TH hacia las formas indiferenciadas en el alfabeto del siglo IV. Por otra parte, no se hacía la notación de las vocales. Esto significa que la forma ‌ب se utilizaba del modo siguiente:

بَ ba	يَ ya	نَ na	تَ ta	ثَ tha
بِ bi	يِ yi	نِ ni	تِ ti	ثِ thi
بُ bu	يُ yu	نُ nu	تُ tu	ثُ thu

El sistema resultaba, por lo tanto, imperfecto en extremo, siendo la religión el factor que acabaría por codificar esta escritura. El problema será abordado de dos maneras:

—Abú al Aswad al Duali, en el siglo VII, añadió un punto rojo a la consonante: si este punto se encuentra encima es que es transcripción de la «a», si está debajo de la «i» y al lado de la «u». Este sistema evolucionaría poco después: en el siglo VIII, Al Khalil ibn Ahmed al Faradihi lo modificó para darle su actual forma:

ب → ب ba

ب → ب bi

ب → ب bu

Se hace, además, la notación de las vocales del siguiente modo:

بَا ba

بِى bi

بُو bu

—por otro lado, se emplean signos diacríticos para diferenciar las consonantes que se podrían confundir con las ligaduras. Esta innovación es atribuida a dos discípulos de Abú al Aswad al Duali, Nasr ibn Asim y Yahya ibn Yamur.

El alfabeto árabe de esta manera codificado (véase la figura 13) iba a servir para transcribir el Corán, confundiéndose por tanto su expansión con la del islam. En concreto transcribirá, tras algunas modificaciones, el persa, el turco, el urdú, el tamil, el swahili y el malayo (estas dos lenguas utilizan en la actualidad el alfabeto latino, habiéndose operado un cambio similar al del turco tras la reforma de la escritura introducida por Kemal Atatürk), etc.

A título de curiosidad, presentaremos el alfabeto minangkabú,[11] empleado por un pueblo de seis millones de individuos que habitan en Sumatra, hablantes de una lengua del grupo austronesio (y por lo tanto emparentada con las lenguas polinesias y melanesias), muy próxima al malayo. Se trata del

11. Véase Gérard Moussay, *La Langue minangkabau, Cahiers d'archipel* nº 14, París, 1981.

Figura 13. El alfabeto árabe

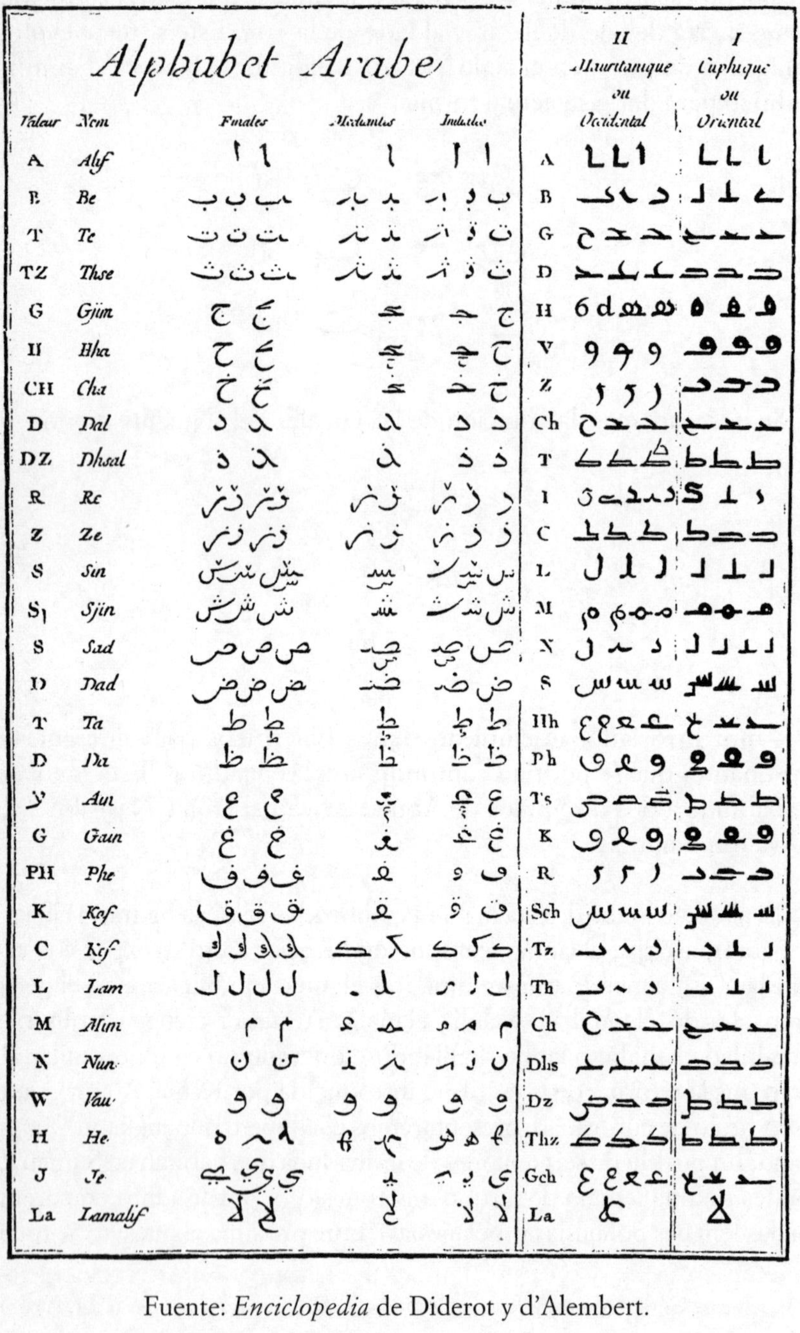

Fuente: *Enciclopedia* de Diderot y d'Alembert.

alfabeto arábigomalayo, es decir, el alfabeto árabe al cual se le añaden cinco letras para hacer la notación de los sonidos *ca, nga, ga, pa* y *nya*.

Por otro lado, quince letras del alfabeto árabe sirven para hacer la notación de los fonemas minangkabú (alif, hamza, ha, ya, wa, kap, jim, ta, dal, nun, ba, mim, ra, lam, sin), mientras que las otras catorce sirven solamente para transcribir los préstamos lingüísticos del árabe.

La escritura minangkabú

د	خ	ح	چ	ج	ث	ت	ب	ا
dal	kha	ha	ca	jim	tha	ta	ba	alif

ظ	ط	ص	ض	ش	س	ز	ر	ذ
zo	tho	dzad	sad	shin	sin	zai	ra	dzal

ل	ک	ك	ق	ف	ڤ	غ	غ	ع
lam	ga	kap	kaf	fa	pa	nga	ghain	ain

لا	ث	ي	ء	ه	و	ن	م
lam alif	nya	ya	hamzah	ha	wau	nun	mim

La oposición larga/breve no existe para las vocales, utilizándose los signos de longitud para hacer la notación de la vocal breve, cosa que permite economizar los signos ⸺ (a), ⸗ (i) y و (ou). De este modo se escribirá:

باتݝ   *batang* (árbol)

باتو   *batu* (piedra)

باتي   *mati* (morir)

Por tanto, la religión musulmana sería el factor principal de difusión del alfabeto árabe. Pero este alfabeto presenta un importante defecto. Al no poder hacer la notación más que de tres vocales (seis, contando el signo de longitud), era extremadamente difícil de adoptar por aquellas lenguas que contaban con gran número de vocales. Por esa razón fundamental los turcos lo abandonaron, si bien no cabe duda de que pudo pesar también esa reforma en favor del laicismo emprendida por Kemal Atatürk...

Señalemos para finalizar que el alfabeto árabe ha alumbrado un arte caligráfico de enorme sofisticación.

Capítulo 8

La escritura en América central

Ya hemos visto antes, con aquellos ejemplos extraídos del *Codex Mendoza*, el modo en que los aztecas transcribían los nombres de los pueblos sujetos al pago de impuestos. Pero este sistema jeroglífico, que se encuentra en el inicio de numerosas escrituras y que generalmente suele evolucionar hacia escrituras silábicas y más tarde alfabéticas, no llegó en este caso a evolucionar, siendo los mayas el único pueblo de América central que fue capaz de desarrollar una escritura que pueda llamarse como tal.

Cuando James Février publicó en 1959 su *Histoire de l'écriture* afirmaba con relación a las inscripciones mayas:

> Se debe siempre recordar un principio general: todo texto redactado en una lengua conocida y en una escritura desconocida será, más tarde o más temprano, descifrado. Pero realmente esta ley no parece aplicarse al caso de la escritura maya, lo que tiene que ver sin duda con el hecho de que se trata de una grafía cuya fonética tiene una función muy restringida, suponiéndose que llegue a tener alguna.

Y luego seguía diciendo:

Todo lo más que los investigadores están llegando a descifrar, y aun con serias dificultades, son las cifras y los signos del calendario.[1]

Por su parte, I. J. Gelb escribía en *Pour une théorie de l'écriture*:

La mejor prueba de que la escritura maya no es fonética lo demuestra sencillamente el hecho de que no ha podido ser todavía descifrada. Esta conclusión resulta inevitable cuando se recuerda el principio fundamental que rige la teoría del desciframiento: una escritura fonética puede ser descifrada, y se acabará siempre por hacerlo, cuando se conoce la lengua subyacente. Puesto que las lenguas mayas son utilizadas todavía en la actualidad, siendo por lo tanto bien conocidas, nuestra incapacidad para comprender el sistema de los mayas significa que no se sustenta sobre ningún tipo de escritura fonética.[2]

¡No se podía ser más explícito! Y, sin embargo, a pesar de la enorme competencia que ambos atesoraban en materia de historia de las escrituras y de su desciframiento, los dos investigadores estaban equivocados.

Es cierto que el desciframiento de la escritura maya no ha sido en absoluto tarea fácil: los especialistas pudieron ayudarse de las inscripciones bilingües con que se contaba y así fueron capaces de iluminar el misterio de los jeroglíficos egipcios o de la escritura cuneiforme mesopotámica, pero en el caso de los glifos mayas no existía ningún texto de tales características. El códice azteca al cual aludíamos hace un momento, el *Codex Mendoza*, está anotado en español, lo que no es desde luego el caso de los códices mayas. En resumen, que el desciframiento de esta escritura parecía estar condenada al fracaso. Pero James Février, como acabamos de ver, era, no obstante, demasiado pesimista, y Gelb hacía sus afirmaciones a comienzos de los años cincuenta, época en que las investigaciones sobre la escritura maya se encontraban todavía en estado muy poco desarrollado.

El pueblo maya ocupaba durante el tiempo de su apogeo (entre los siglos VII y IX) Guatemala, Honduras y el sur de México (provincias de Chiapas y de Yucatán). Hacia el siglo X una nueva civilización surgiría en el Yucatán: la cultura toltecamaya, que iba a construir, entre otros, los em-

---

1. James Février, *op. cit*, pág. 55.
2. I. J. Gelb, *Pour une théorie de l'écriture,* París, Flammarion, 1973, pág. 63.

Yucatán: principales emplazamientos y grupos lingüísticos

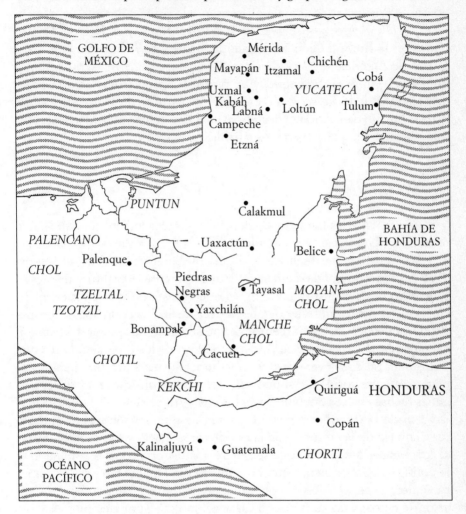

En la actualidad se hablan en el territorio en cuestión cerca de treinta lenguas del grupo maya, repartidas en seis grupos, siendo el principal problema para los especialistas saber qué lengua(s) era(n) transcrita(s) por los textos de los cuales disponemos. Generalmente se suele considerar que estas lenguas eran el yucateca y el chol, que sin duda debieron evolucionar con el tiempo: la escritura habría sido creada por mayas de lengua chol y posteriormente adoptada por escribas de lengua yucateca para la confección de sus códices.

plazamientos de Chichen Itzá y de Uxmal. Los mayas nos han transmitido una escritura, en la actualidad conservada principalmente en tres códices (el *Dresdensis,* que se guarda en la Royal Library de Dresde, el *Peri-
sianus* en la Bibliothèque Nationale de París, y el *Tro-Cortesianus* en el
Museo de América de Madrid), en numerosos jeroglíficos inscritos en monumentos, como en Palenque, y en pintura sobre vasos. Por otra parte
disponemos de la *Relación de las cosas del Yucatán* de Diego de Landa,
primer obispo de Mérida (Yucatán) al cual nos hemos referido en el capítulo inicial y del que volveremos a hablar.

Los calendarios mayas

Cuando Charles Brasseur de Bourbourg, sacerdote francés que había
residido en Guatemala y traducido el *Popol Vuh,* el «libro sagrado» de los
mayas quiché, encontró en 1862, en una biblioteca madrileña, el manuscrito del libro de Landa, comenzó verdaderamente la aventura del desciframiento de la escritura maya. Y es que en esta obra se contienen, en
efecto, además de múltiples detalles acerca de la vida cotidiana de los mayas del siglo XVI, dos documentos de incalculable valor: una descripción
del calendario maya (en realidad sólo de uno de los dos calendarios que
utilizaban, tal como veremos) y un «alfabeto» maya del cual hemos hablado con anterioridad. Así pues, Brasseur se mostraría capaz de leer algunas fechas en esos documentos a los cuales tiene acceso: el *Codex Dres-
den* y el de París. Ahora bien, el sistema de numeración y el calendario
eran la base de la cultura y de la cosmogonía maya, y significaron bazas
excepcionales tanto en lo que se refiere a la historia como a la religión, a
la política y a la mitología, etc. La numeración tenía como base el número veinte, cuya notación se conseguía mediante la ayuda de barras (con
valor de cinco) y de puntos (con valor de uno). Así por ejemplo:

$$\overset{\circ}{\underset{\circ}{\circ}} \text{ se lee 3} \qquad \| \text{ se lee 5} \qquad \overset{\circ}{\underset{\circ}{\circ}} \| \text{ se lee 8, etc.}$$

Imix   Ik   Akbal   Kan   Chicchan

Fuente: Thompson (1972). Los glifos rodeados por un trazo grueso provienen de los códices, y los otros de monumentos esculpidos.

Sería Ernst Förstemann (1822-1906) quien, a finales del siglo XIX, trabajando sobre el códice conservado en Dresde, iba a descubrir que en realidad existían dos calendarios diferentes:

—un calendario sagrado de doscientos sesenta días, llamado *Tzolkin*, que Landa ya había sacado a la luz. El ciclo litúrgico se componía de trece ciclos de veinte días, estando cada uno de ellos vinculado a un jeroglífico distinto: imix, ik, akbal, kan, chicchan, cimi, manik, lamat, muluc, oc, chuen, eb, ben, ix, men, cib, caban, edz'nab, cauac, ahau.

En las inscripciones, el glifo correspondiente a un día determinado iba siempre precedido por una cifra, entre 1 y 13.

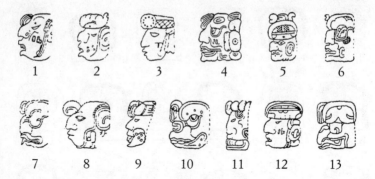

De esta manera, los trece primeros días llevaban números del 1 al 13 (1 imix, 2 ik, 3 akbal... 13 ben), llevando el catorce el número 1 (1 ix), el quince el número 2 (2 men), y así hasta llegar al veinte, al cual correspondía el número 7 (7 ahau). Se reemprendía entonces la serie de veinte días asociándole al primero el número 8 (8 imix), al segundo el número 9 (9 ik), y así hasta llegar al sexto, al cual le correspondía el 13 (13 cimi), luego al séptimo, que llevaba el número 1 (1 manik), etc. Para volver a comenzar el ciclo (1 imix), hacían falta por lo tanto doscientos sesenta días. Es decir, que el vínculo establecido entre cada uno de los veinte glifos correspondientes a los días y uno de los números del 1 al 13 bastaba para situar cualquiera de los días dentro de este año (20 x 13 = 260).

—Un calendario «civil» solar de trescientos sesenta y cinco días, llamado *Haab*, compuesto por dieciocho *uinals* (períodos de veinte días) y de cinco días complementarios añadidos después del 180 uinal. Estos dieciocho «meses» eran los siguientes: Pop, Uo, Zip, Zotz', Zec, Xul, Yaxkin, Mol, Ch'en, Yax, Zac, Ceh, Mac, Kankin, Muan, Pax, Kayab, Cumku, correspondiendo siempre sus jeroglíficos a algún dios o animal sagrado relacionado con ciertas manifestaciones religiosas o agrícolas.

Los cinco días adicionales eran conocidos por el apelativo de *uayeb* («aquellos que no tienen nombre»).

En cuanto a las fechas, se ponía delante del glifo de estos meses una cifra entre el 0 y el 19. De este modo, el siguiente glifo: ⦂🝊 indicaba el quinto (y no el cuarto) día de kankin.

Para señalar cualquier fecha concreta eran utilizados los dos calendarios al mismo tiempo, indicando las referencias cronológicas en ambos sistemas. Así por ejemplo:

año ritual   año civil

13 ahau   18 cumku

siendo entonces necesarios cincuenta y dos años de trescientos sesenta y cinco días (o setenta y tres años de doscientos sesenta días) para que estos dos calendarios coincidieran de nuevo. Por otra parte, los mayas utilizaban una forma de medición temporal dentro del marco del año de trescientos sesenta días:

orden	nombre	equivalente	número de días
1	kin (día)		1
2	uinal (mes)	20 kins	20
3	tun (año)	18 uinals	360
4	katun	20 tuns	720
5	baktun	20 katuns	14.400
6	pictun	20 baktuns	2.880.000
7	calabtun	20 pictuns	57.600.000
8	kinchiltun	20 calabtuns	1.152.000.000
9	alautun	20 kinchiltuns	23.040.000.000

Hay que señalar que las fechas se empezaban a contar a partir de un comienzo mítico situado en el año 3113 a.C., y que en las inscripciones que han llegado hasta nosotros se detienen en el 909 d.C.

He aquí, por ejemplo, cierta inscripción proveniente de un templo situado en Palenque:

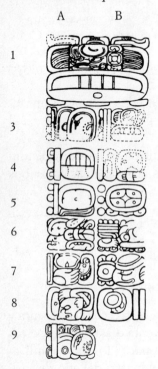

A   B

En 3 A se puede leer «nueve baktuns», en 3 B «doce katuns», en 4 A «seis tuns», en 4 B «cinco uinals», en 5 A «ocho kin» y en 5 B «tres lamat». Después se pasa a la datación lunar: 6 B indica que la luna tenía diecinueve días, 7 A que se trata de la quinta luna, etc., 9 A se lee «seis zac».

De esta manera se llega a una fecha que se puede leer «9 baktun, 12 katun, 6 tun, 5 uinal, 8 kin, 3 lamat y 6 zac»: 3 lamat y 6 zac indican la misma fecha, la primera por el calendario de doscientos sesenta días, la segunda por el calendario de trescientos sesenta y cinco días, y la serie de los baktun, katun, tun, uinal y kin nos da la cifra de 1.384.668 días, es decir, 3.793 años, siendo la fecha indicada el 14 de septiembre del año 678 d.C.

Parece indiscutible que el calendario de doscientos sesenta días tiene un origen mesoamericano común a mayas y aztecas. Por ejemplo, los días quinto y sexto llevan respectivamente en azteca y maya el nombre de «serpiente» y «muerte», siendo en ambos casos el glifo que los representa una cabeza de serpiente y un cangrejo. Del mismo modo, el decimocuarto día maya, *Ix*, significa en uno de los actuales dialectos del norte «jaguar». El glifo consiste en una estilizada oreja de jaguar, denominándose en azteca a este día *ocelotl*, «jaguar»... El cuarto día maya, *kan*, utiliza el glifo «maíz», mientras que los náhuatl lo conocen por *cuetzpallin*, «lagarto», si bien en uno de los dialectos mayas *kan* dispone de un sinónimo que significa «iguana»... Por otra parte, una pequeña comunidad de aztecas del noreste de

México llaman a este día *xilotl*, «maíz verde». Tales intersecciones de significados, sin duda, no pueden ser debidas simplemente al azar.

Pero aunque el conocimiento de los calendarios mayas nos hace perfectamente capaces, desde luego, de leer cualquier fecha, eso no significa que sirvan de demasiada ayuda en lo que se refiere a la comprensión del sistema de escritura. Claro que ¿se puede decir entonces que verdaderamente existía una escritura maya que se pueda denominar así en puridad? A pesar de la respuesta negativa que dieron a esta cuestión Février y Gelb, y que antes comentamos, los especialistas se mostraban de acuerdo —de eso hace ya cincuenta años— en que se trataba de una escritura, si bien disentían en cuanto a su concepción.

El proceso de desciframiento

Michel Davoust[3] y, más recientemente, Michael Coe[4] nos han proporcionado una visión bastante clarificadora sobre las etapas del desciframiento de la escritura maya, de la cual será deudora la mía a lo largo de este parágrafo. Después de los trabajos de Brasseur de Bourbourg y de Förstermann, la lectura de los glifos avanzaba con lentitud, un panorama que iba a cambiar sustancialmente gracias a las investigaciones del británico Eric Thompson y de los soviéticos Yuri Knorosov y Tatiana Proskouriakoff. El primero, fallecido en 1975, fue una autoridad en el campo de los estudios mayas, siendo en particular autor de un catálogo de glifos mayas publicado en 1962[5] destinado a hacer época. Su hipótesis afirmaba que los mayas se servían de «logogramas» de una manera analógica, estando según él vinculado cada glifo a cierto trasfondo mitológico cuyo conocimiento resultaba obligatorio a la hora de leerlos. En otras palabras, para el investigador estos glifos no representaban palabras mayas de una manera fonética, sino más bien ideas universales: se puede decir que su concepción de la escritura maya tomaba como modelo cercano los caracteres chinos.

Yuri Knorosov y Tatiana Proskouriakoff llevarían a cabo por su parte investigaciones en el sentido de una escritura silábica. Knorosov en particular,

3. Michel Davoust, «Le déchiffrement de l'écriture maya depuis 1960», en *Histoire Epistémologie Langage*, VIII-1, 1986.

4. Michael Coe, *Breaking the Maya Code*, Nueva York, Thames and Hudson, 1992.

5. Eric Thompson, *A catalog of Maya Hieroglyphs*, Norman, University of Oklahoma Press, 1962.

volviendo a tomar como base el alfabeto de Landa, considera estos signos a manera de notaciones silábicas, relacionando antes la escritura maya con los *kana* japoneses que con los caracteres chinos. No nos extenderemos aquí en detalle sobre las diversas polémicas entabladas entre ambas escuelas: bastará con saber que los mejores conocedores en la actualidad de esta escritura, Michael Coe, Linda Schele y Michel Davoust, han orientado sus trabajos en la dirección establecida por Knosorov. Sin embargo, nos detendremos algo más en lo que se refiere al funcionamiento de esta escritura, comenzando por los trabajos de Thompson para llegar por último a la lectura moderna.

La interpretación de Thompson

Volvamos pues a los intentos de desciframiento de esta escritura. He aquí primeramente el modo en que Thompson presentaba el problema de la lectura de los glifos mayas:

—los glifos vienen a ser de forma habitual notación de monosílabos, puesto que la lengua maya tiene una considerable carga monosilábica. Pero se puede hacer la notación de bisílabos recurriendo a la asociación de dos glifos: por ejemplo, los dos elementos constituyentes de *yaxkin*, el mes séptimo, *yax*, «verde», y *kin*, «sol», de donde sale *yaxkin*, mostrándose los rayos del sol durante la estación más seca;
—existen en lengua maya numerosos homónimos, lo que quiere decir que el mismo glifo puede servir para transcribir signos con sentido diferente, pero que se pronuncian del mismo modo, como en los acertijos. Así el glifo correspondiente a *te* o *che*, «madera», participa como elemento compositivo en una larga serie de glifos:

• con *yax*, «verde», da *yaxche* (en yucateca) o *yaxte* (en chol): árbol sagrado ,
• con *cauac* (*ku* = «divino»), da *kuche*, «cedro» ,
• con *kak*, «fuego», da *kakche*, «ébano».

Pero este glifo se utiliza igualmente para hacer notación de cierto determinativo, *te*, que sirve para contar los días (del mismo modo que *miga* en una miga de pan, *porción* en porción de pastel, *cabeza* en cabeza de ganado...). Por ejemplo, en *can te zec*, cuarto día del mes de Zec, el glifo «madera» hace la notación, como en una adivinanza, de este determinativo: .

Tomemos otro ejemplo, el del glifo ⬚ que transcribe el nombre del dios Bolonyocte, importante dios maya, sin duda el dios de los mercaderes, cuyo nombre significaba algo similar a «nueve zancadas» o a «innumerables zancadas». Su glifo está compuesto por la cifra nueve (*bolon*), como prefijo a una cabeza que representa el día *oc,* y por el *te* en sufijo, sin valor semántico, aunque funcionando aquí únicamente a manera de acertijo.

Determinados glifos pueden tener diferentes valores fonéticos cuando corresponden a sinónimos de la lengua maya. De esta manera el glifo que muestra un caparazón de tortuga, *mac* en yucateca, y que aparecía en el glifo propio del mes mac, se debe leer *coc* (el nombre de una variedad de tortuga) en el glifo en el que califica a *tun* (año): *coctun* = «año de miseria» (leído como *mac*, el caparazón de la tortuga no tendría sentido): ⬚ .

Numerosos glifos sirven para hacer notación de un objeto pero no de su pronunciación. Consideremos por ejemplo *kan*, glifo del cuarto día: ⬚ . Éste hace también la notación de la idea de «muro» y de «joven», siendo el glifo genérico para «mayo». Volveremos a encontrarlo en combinación con cierto número de afijos para hacer la notación de diversas cosas:

ixim (maíz saliendo del grano) ⬚

nal (maíz joven) ⬚

holil nal (ofrenda del maíz joven) ⬚

zaca (pasta de maíz) ⬚

En cada uno de esos casos, este glifo es utilizado no tanto en función de su valor fonético (*kan*), sino solamente a manera de indicador semántico.

Los glifos pueden servir también como ideogramas. De este modo «corazón» se utiliza como símbolo de sacrificio humano. Por último, se añaden al glifo principal ciertos determinativos que, en caso de duda, acaban de precisar su sentido.

En esta lectura efectuada por Thompson se percibe su concepto de la escritura maya en cercanía con la escritura china: los logogramas utilizados como signos silábicos (es el caso de *te*, «madera», que sirve para hacer la notación de un determinativo) o como indicadores semánticos (el caso de *kan*, que sirve para hacer la notación de todo lo concerniente al maíz). Éste era el estado de la cuestión a finales de la década de los sesenta, cuando Eric

Thompson mantenía su predominio en el campo de los estudios mayas[6] y de sus glifos.

Estructura del glifo maya

El panorama, sin embargo, ha avanzado sustancialmente. Para una mirada poco acostumbrada, el glifo se presenta bajo la forma de un grafismo complejo, dentro del cual apenas se pueden distinguir sus elementos y, del mismo modo, el texto se presenta como un conjunto que no ofrece la menor pista sobre la manera de enfrentarse a su lectura.

De hecho los textos se deben leer de izquierda a derecha; y los glifos, de dos en dos, de arriba a abajo. Por ejemplo, la siguiente serie se leería en el orden indicado por las cifras:

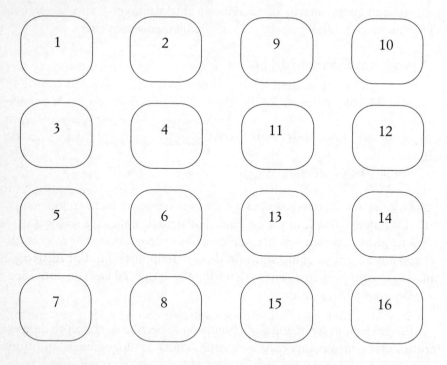

6. Eric Thompson, *Maya Hieroglyphic Writing: Introduction*, Washington, 1950, y *Maya Hieroglyphs without Tears*, Londres, British Museum, 1972.

Ya habíamos visto que el texto proveniente de Palenque, y que nosotros hemos tomado como ejemplo para ilustrar la notación de las fechas, se leía 3 A, 3 B, 4 A, 4 B, etc.

Cada glifo se compone de un elemento principal, situado en el centro, acompañado de otros elementos más pequeños que se pueden encontrar delante (prefijo), detrás (posfijo), arriba (superfijo), abajo (sufijo) o en el interior (infijo).

Superfijo

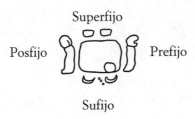

Posfijo   Prefijo

Sufijo

Fuente: Michel Davoust, 1986.

Estos elementos adicionales no resultan de naturaleza diferente a la del elemento principal, siendo simplemente de menor tamaño y pudiendo aparecer en otra parte a tamaño normal. Michel Davoust, en un artículo publicado en 1986[7] en el que trataba sobre los progresos en relación al desciframiento de la escritura maya, proponía distinguir entre tres tipos de glifos:

—los glifos simbólicos, como por ejemplo los glifos que representan las cifras o el glifo del día, *kin*, que simboliza el sol;
—los glifos antropomorfos incompletos, en los cuales se representan cabezas humanas o de animales;
—los glifos antropomorfos completos, más raros, que representan a un personaje de cuerpo entero.

De esta forma, en el cuadro siguiente se muestran tres representaciones del número ocho (una barra y tres puntos, la cabeza del dios Maíz y el dios Maíz de cuerpo entero) y tres representaciones del día *kin* (una flor con cuatro pétalos, la cabeza del dios Sol y el dios Sol de cuerpo entero).

7. Davoust, artículo citado.

Figura simbólica	Figura antropomórfica incompleta	Figura antropomórfica completa
número 8	dios Maíz	
día *kin*	dios Sol	dios Sol de cuerpo entero

Fuente: Michel Davoust, 1986.

Actualmente se han llegado a contar, tras el exhaustivo estudio de un conjunto que comprende alrededor de treinta mil ejemplos, novecientos cincuenta glifos distintos. Se trata de un número ciertamente importante, pues nos proporciona una idea bastante ajustada de la naturaleza de la escritura maya. Este sistema no puede, en efecto, considerarse alfabético, contrariamente a la opinión de Diego de Landa: en ese caso no podrían existir más que unos treinta signos. Si fuera silábico, el sistema comportaría entre cien y doscientos signos, lo que como vemos no es en absoluto el caso. Tampoco se puede comparar con el sistema chino (entonces habrían varios miles de signos). Y todo esto nos conduce a la hipótesis de que se trata de un sistema mixto que utilizaría a la vez tanto logogramas* como signos silábicos.

La interpretación de Linda Schele

Linda Schele ha abordado por su parte este problema desde un punto de vista sintáctico.[8] Ella se muestra partidaria de la idea, a menudo aceptada, de que consiste en una forma antigua del actual dialecto cholan, que

8. Linda Schele, *Maya Glyphs: the Verbs*, Austin, University of Texas, 1982.
* Véase glosario.

era la lengua de las inscripciones clásicas. En el momento de la conquista española, la distribución geográfica de las diversas lenguas cholan (chol, chontal, cholti y chorti) se correspondía con los emplazamientos clásicos mayas. Ahora bien, estas lenguas mayas disponen de lo que se ha denominado construcción ergativa.* Es decir, que en las lenguas mayas aparecen dos conjuntos de pronombres.

EL GRUPO A: ERGATIVO

	protocholan		*protomaya*	
	ante consonante	ante vocal	ante consonante	ante vocal
1ª singular	*in	*inw-	*nu-	*w-
2ª singular	*a-	*aw-	*aa-	*aaw-
3ª singular	*u-	*uy-	*u-	*r-
1ª plural	*ka-	*k-	*qa-	*q-
2ª plural	*i-	*iw-	*ee-	*eer-
3ª plural	*u-	*uy-	*ki-	*k-

EL GRUPO B: ABSOLUTO

	protocholan	*protomaya*
1ª singular	-en	-in
2ª singular	-et	-at
3ª singular	φ	φ
1ª plural	-on	-o'n
2ª plural	-ox	-ix
3ª plural	-ob'	-ob'

Ya han sido clasificados y reconocidos como representantes de estos pronombres mayas una docena de glifos, todos ellos prefijos (Schele no ha identificado sufijos), correspondiendo uno a la /u/ del «alfabeto» de Landa. Ahora bien, *u- era el signo de la tercera persona ergativa: por lo tanto se puede concluir que estos textos están escritos, todos ellos, en tercera persona.

Los glifos identificados como señal de la tercera persona son los siguientes:

* Véase glosario.

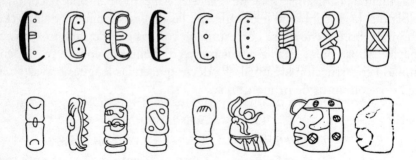

Fuente: Schele, 1982, pág. 9.

Es necesario también añadir a esto cierta característica del sistema de conjugación maya: en cholan y en yucateca se utiliza una u otra de las listas de pronombres a manera de sujeto del verbo intransitivo según sea su aspecto perfecto o imperfecto. Es lo que Linda Schele denomina *apariencia ergativa*.

La morfología del verbo sería entonces la siguiente:

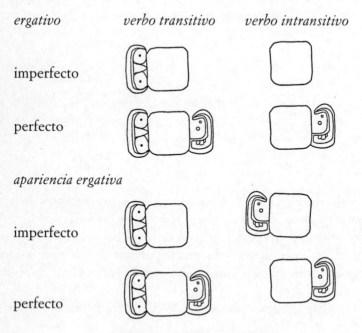

Fuente: Schele, 1982, pág. 9.
El glifo a la derecha es la señal de perfecto.

Ciertamente, tantas precisiones resultan algo arduas, pero son testimonio de la extrema dificultad que conlleva el desciframiento de este sistema gráfico. En particular nos demuestran que Linda Schele es partidaria de un análisis de la sintaxis con tal de alcanzar el desciframiento de los glifos. De esta manera la estructura de la frase verbal sería como sigue:

—*verbo transitivo*: tiempo + pronombre conjunto A + raíz + sufijo perfecto + pronombre B,

—*verbo intransitivo*: tiempo + raíz + sufijo perfecto + pronombre B.

Y así, por ejemplo, se podría leer esto:
u pat tun
«era durante el final de tun (del año)».

Para concluir

Hemos podido ver que el número de glifos diferentes que han sido inventariados hacen creer que la escritura maya consistía en un sistema mixto, esencialmente logosilábico con complementos fonéticos y semánticos, a lo que habría que sumar aproximadamente unos sesenta signos silábicos.

En esta escritura se darían, por lo tanto, cuatro tipos de elementos:[9]

—*los logogramas*, que cuentan al mismo tiempo con valor fonético y con valor semántico. Por ejemplo, el glifo del día *kin* presenta tanto valor fonético, /kin/, como sentido, «sol», «día», etc.:

—*los complementos fonéticos,* que indican o señalan con mayor precisión el valor fonético del logograma. De esta manera, en los tres ejemplos que vienen a continuación, el complemento fonético ≈ que representa la cola de un animal y que se pronuncia /ne/ indica la pronunciación del conjunto: /tun/, /kin/ o /chan/:

9. Seguimos aquí la clasificación elaborada por Michel Davoust.

—*los complementos semánticos,* que precisan del sentido del logograma. Por ejemplo, la cabeza de buitre en combinación con el complemento semántico indica que será necesario leer *ahau,* «señor»:

—*los signos silábicos* como *ba* (que deriva del logograma *bah*, «topo»), *pa* (que deriva del logograma *paw*, «red»), *tu* (que deriva de *tuy*, «barba»), etc.:

        ba   *pa*   *tu*

Son posibles, por lo tanto, dos maneras distintas de escribir una misma palabra: por medio de un logograma (ocasionalmente acompañado de algún complemento fonético o semántico) o utilizando la notación semántica. De este modo, el «escudo» (*pacal*) se puede hacer notar recurriendo a su logograma

o por medio de esta otra composición que combina *pa, ca* y *la*: .

Capítulo 9

Las escrituras africanas
y los conflictos semiológicos

Generalmente se suele considerar África como un continente en el que el predominio de la tradición oral resulta indiscutible, creencia que no es del todo falsa pero que necesita una revisión en clave relativa. Y es que, efectivamente, si bien en el África negra no ha surgido verdaderamente ningún sistema de escritura de cierta entidad, sí, en cambio, han aparecido diferentes sistemas pictográficos: incisiones sobre calabazas o sobre pesas de balanza, pintura sobre vasijas, tejidos, tapices, etc.[1] Sin embargo, es preciso proceder con atención a la hora de denominar «escritura» a cualquier sistema gráfico que salga al paso. De esta forma, los signos grabados sobre las pesas akán (Costa de Marfil, en Ghana) no constituyen, a pesar de lo que algunos afirmen, un tipo de sistema estructurado, como tampoco lo son las series de puntos de abbia (en el Camerún): el hecho de que los investigadores atribuyan determinados sentidos a tales o cuales grafismos nos demuestra más bien que nos encontramos frente a un conjunto de pictogramas a los que, ciertamente, sería bastante abusivo denominar escritura. Del mismo modo, los llamados «tapices reales de Be-

1. Véase Louis-Jean Calvet, *La Tradition orale*, París, PUF, 1984, capítulo IV: «L'univers pictural de la tradition orale».

nin», una especie de coloristas *patchworks* en los cuales los ojos poco
acostumbrados sólo perciben una serie heteróclita de objetos o de animales (bueyes, perros, tiburones, leones, barcos, cuchillos...), se integran en
un todo coherente, pero no conforman, pese a ello, ningún tipo de escritura: todo lo más podría hablarse en este caso de precedentes en forma de
acertijos. Y es que, cierto es, tradicionalmente los soberanos de Benin
cambiaban, el día de su coronación, su nombre de príncipes por otro, su
nombre sonoro: ese día pronunciaban una especie de sentencia que había
de caracterizar su reinado y de la cual era extraído tanto su nuevo nombre
como un símbolo gráfico al que desde ese momento estarían unidos para
siempre. Por ejemplo, el príncipe Kondo (1844-1906) el día de su coronación seguramente decidió pronunciar la frase *Gbê han zin aï gjrë*, «el
mundo dispone del huevo que la tierra desearía», o según otras fuentes, la
frase *Gbê wé hen azin bo ayi djiré*, «nuestro mundo ha producido un hue-

Pesas para el oro, cultura akán.

vo del cual sólo la tierra puede percibir el peso», de donde proviene al mismo tiempo su nombre sonoro (Béhanzin), formado a partir de las primeras sílabas de esta frase, y su símbolo gráfico (el huevo). De la misma manera, algunos de los grafismos que aparecen en los tapices bambara (conocidos como *bogolan fini*) se combinan conforme a ciertos sentidos, pero sin llegar a constituir por ello ninguna forma de escritura.

En realidad, en el continente africano solamente ha surgido una verdadera forma de escritura: la escritura egipcia, único sistema propio, que, como es sabido, no está en uso desde hace muchos siglos. Los pueblos del África del Norte adoptarían, al igual que otros numerosos pueblos, la escritura semítica. De esta manera se verá aparecer en Cartago cierta variedad de escritura fenicia, la escritura púnica, que al parecer supone el eslabón entre los caracteres fenicios y los caracteres líbicos, los cuales iban a suponer el origen del alfabeto utilizado por los tuaregs, el alfabeto conocido como *tifinagh* (véase la figura 1). La escritura copta, a la que ya nos hemos referido antes, el alfabeto etíope o incluso el alfabeto árabe no pueden ser considerados propiamente como creaciones africanas, puesto que son, según los casos, resultado de una evolución, del préstamo o de algún tipo de imposición posterior a una conquista. Por otro lado, el alfabeto árabe ha sido utilizado a menudo para transcribir determinadas lenguas africanas, ya sea de manera continuada (es el caso, por ejemplo, del swahili) o esporádica (caso del peul, del wolof, etc.). Pero todo esto no aporta nada al hecho fundamental de que, pese a la existencia de distintos sistemas gráficos africanos, pese a la configuración de todo un universo pictórico desarrollado a partir de la tradición oral, los pueblos del África negra están, sin embargo, lejos de haber utilizado y adaptado, tal como hicieran otros pueblos, esa invención semítica que ha quedado descrita en las partes iniciales de este libro.

¿Por qué, entonces, dedicar un capítulo entero a «las escrituras africanas»? Pues por la simple razón de que existen, no obstante, numerosos alfabetos africanos, aunque se trata en todo caso de alfabetos de reciente creación y cuyos modos de aparición vienen a ser, en realidad, muy diferentes a los de aquellos que hasta el momento hemos tratado. Tales alfabetos presentan, en efecto, características originales: detrás de ellos suele haber alguna personalidad concreta, algún creador reconocido o, en determinadas ocasiones, cierto principio organizador, aunque en estos casos es tomado en préstamo de otra escritura (del alfabeto latino o del alfabeto árabe), y por otra parte estos alfabetos «indígenas» no se han visto nunca oficializados ni han sido demasiado utilizados en la publicación de textos.

Figura 1. Alfabeto líbico

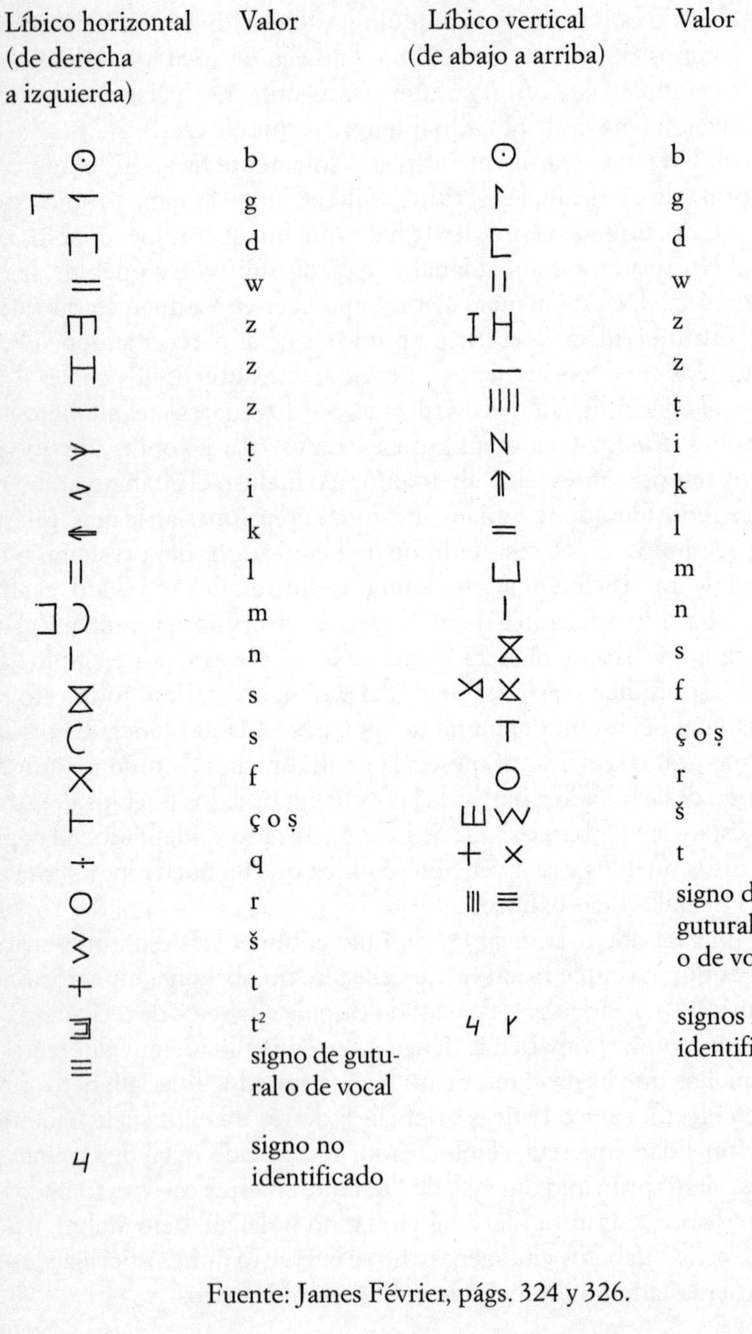

Líbico horizontal (de derecha a izquierda)	Valor	Líbico vertical (de abajo a arriba)	Valor
	b		b
	g		g
	d		d
	w		w
	z		z
	z		z
	z		ṭ
	ṭ		i
	i		k
	k		l
	l		m
	m		n
	n		s
	s		f
	s		ç o ş
	f		r
	ç o ş		š
	q		t
	r		signo de gutural o de vocal
	š		signos no identificados
	t		
	t²		
	signo de gutural o de vocal		
	signo no identificado		

Fuente: James Février, págs. 324 y 326.

Figura 2. Alfabeto tifinagh

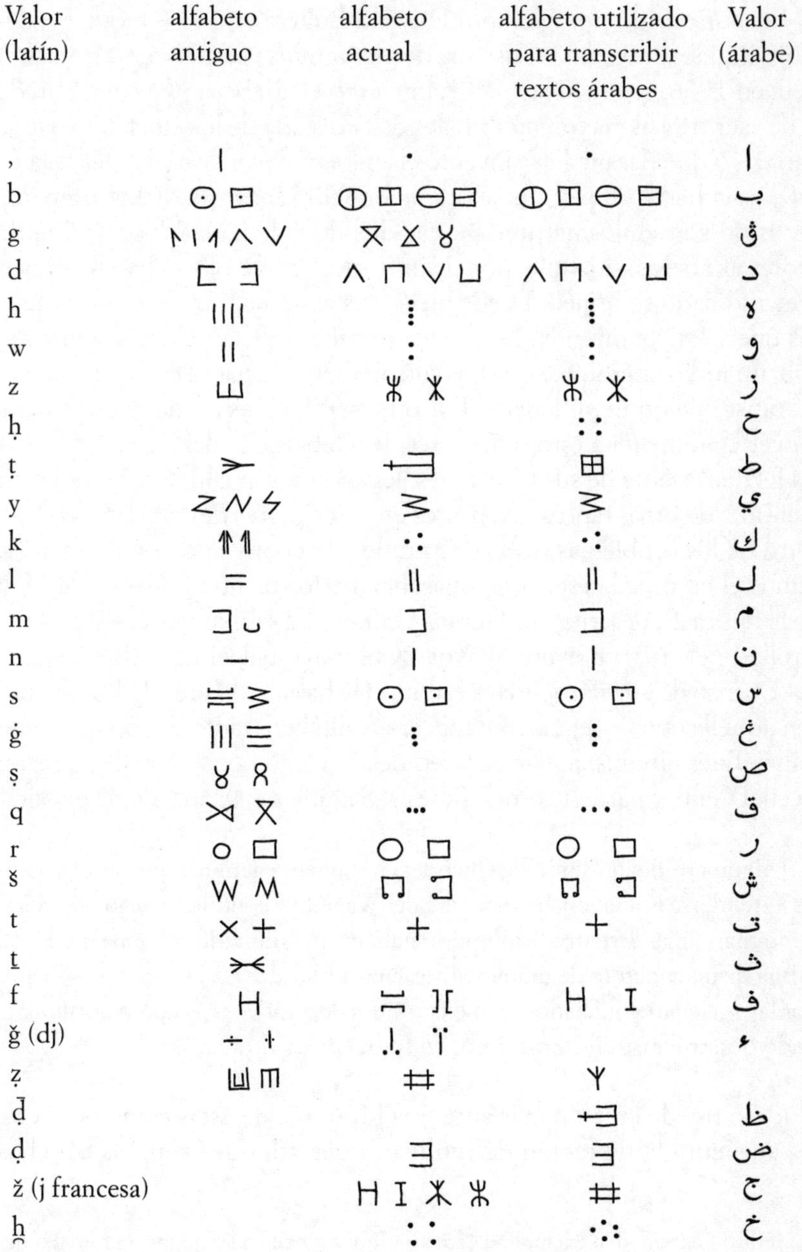

Valor (latín)	alfabeto antiguo	alfabeto actual	alfabeto utilizado para transcribir textos árabes	Valor (árabe)
'				ا
b				ب
g				ڨ
d				د
h				ه
w				و
z				ز
ḥ				ح
ṭ				ط
y				ي
k				ك
l				ل
m				م
n				ن
s				س
ġ				غ
ṣ				ص
q				ق
r				ر
š				ش
t				ت
ṯ				ث
f				ف
ǧ (dj)				ء
ẓ				ظ
ḍ				ض
ḏ				
ž (j francesa)				ح
ḫ				خ

Fuente: James Février, pág. 326.

Por ejemplo, es sabido que el rey Njoya creó hacia el año 1903 un alfabeto silábico para transcribir la lengua bamún, o que el alfabeto silábico vaï fue concebido por Momolu Duwalu Bukelé en 1833, o que Frédéric Bruly-Bouabré inventó un sistema de pictogramas para hacer la notación del beté en 1956, o que Suleymán Kanté creó el alfabeto *nko* con el fin de dotar de escritura al mandinga a finales de la década de los cincuenta (véase la figura 3), o que Assane Faye inventó el alfabeto wolof en 1961 (véase la figura 4), y así hasta un largo etcétera: la inmensa mayoría de los alfabetos africanos no son «hijos naturales», nacidos de la lenta transformación de anteriores alfabetos, sino que, por el contrario, sus creadores han reconocido y reivindicado su origen. Desde luego, los alfabetos africanos no son los únicos que se encuentran en tal situación: cabe destacar el ejemplo de Sequoyah, un indio cheroquee que creó un alfabeto gracias al cual se pudo hacer la transcripción de su lengua. Por otra parte, el hecho de que se pueda reconocer claramente a estos creadores de alfabetos se debe en gran medida a la fecha reciente de sus creaciones, legándonos igualmente la tradición los nombres de otros tantos inventores en otras partes del mundo.

Otro de los problemas es el constituido por el origen de estos sistemas. Tomemos el caso de la escritura «masaba» de los bambara-masasi de Malí (véase la figura 2), descrita por Gérard Galtier.[2] Es sabido que el sistema fue desarrollado en 1930 por un tal Woyo Culubayi, fallecido en 1982, quien nunca se cansó de afirmar que esta escritura le había sido «revelada» una noche: en aquella época, según contaba, era analfabeto tanto en francés como en árabe. Tales circunstancias parecen desde luego poco probables, razón por la cual Galtier parte de otra hipótesis. Según éste afirma, debía existir:

> [...] alguna tradición simbólica mande, ciertamente antigua, que habría podido extenderse por el imperio soninké del Wagadu y continuar luego por el imperio mandinga. Esta tradición pudo haberse manifestado principalmente en forma de un conjunto de dibujos abstractos, utilizados tanto para la enseñanza por las sociedades iniciáticas como con fines decorativos [...], pero igualmente pudo desarrollarse en ciertos casos en forma de escritura...[3]

Uno no puede crer sin más ante una hipótesis de estas características: tal vez se sienta la tentación de replicar, pues ¿dónde están las pruebas

2. Gérard Galtier, «Un exemple d'écriture traditionnelle mandingue, le Masaba des Bambara-Masasi du Mali», en *Journal des africanistes*, París, 1987.
3. *Ibid.*, pág. 259.

Figura 2. Escritura «masaba»

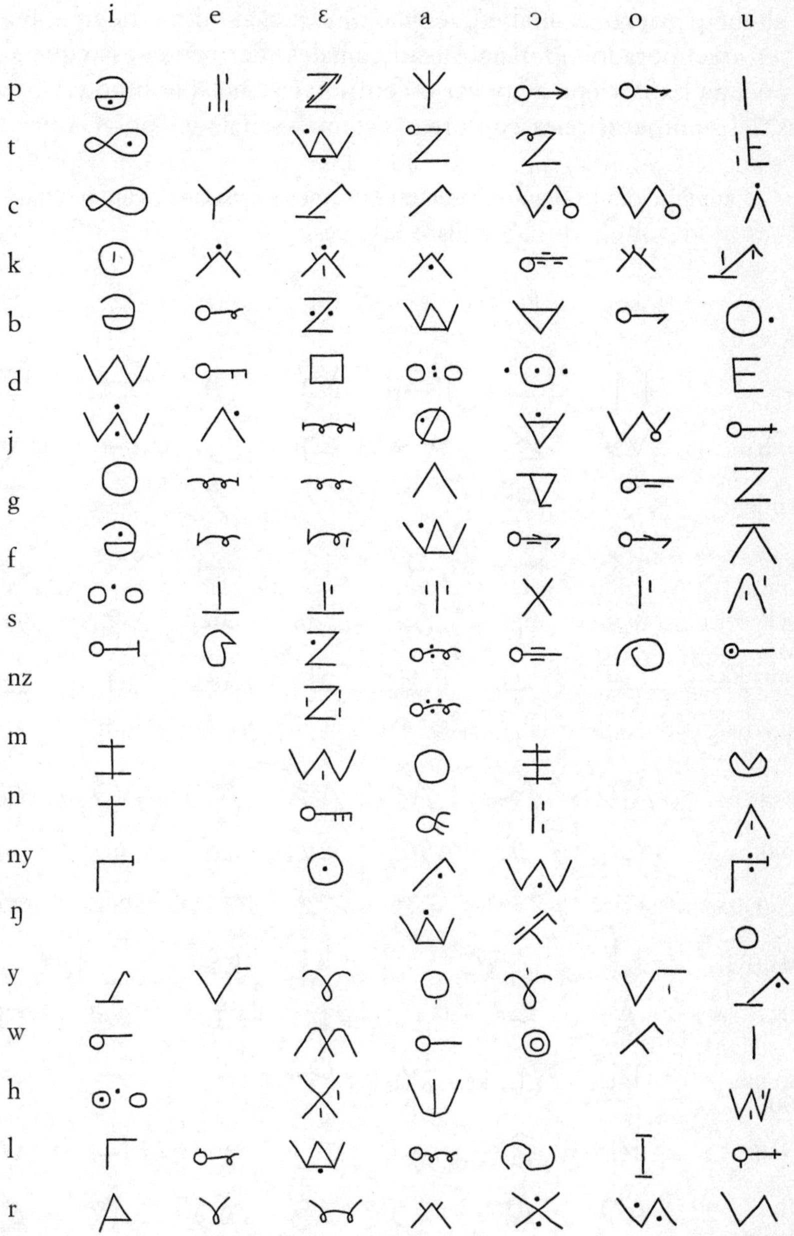

Fuente: Galtier, 1987.

de todo ello? A lo largo de este libro hemos encontrado diversos ejemplos de sistemas gráficos influidos claramente por algún sistema anterior (el alfabeto griego, el alfabeto fenicio...) y que, al mismo tiempo, podían haber «recuperado» grafismos tradicionales. Pero en el caso que ahora nos ocupa nada viene a apoyar o confirmar semejante hipótesis y, además, las comparaciones con otros sistemas señaladas por Galtier (vai,

Comparación de algunos caracteres propios de escrituras autóctonas
(sílaba k + vocal)

	ka	ke	ke	ki	ku	ko	kɔ
MANDE							
Vai	⟨glyph⟩	⟨glyph⟩	⟨glyph⟩	⟨glyph⟩	⟨glyph⟩	⟨glyph⟩	⟨glyph⟩
Bambara	⟨glyph⟩	⟨glyph⟩	⟨glyph⟩	⟨glyph⟩	⟨glyph⟩	⟨glyph⟩	⟨glyph⟩
Mende	⟨glyph⟩	⟨glyph⟩	⟨glyph⟩	⟨glyph⟩	⟨glyph⟩	⟨glyph⟩	⟨glyph⟩
Loma	⟨glyph⟩	⟨glyph⟩	⟨glyph⟩	⟨glyph⟩	⟨glyph⟩	⟨glyph⟩	⟨glyph⟩
Kpelle	⟨glyph⟩	⟨glyph⟩	⟨glyph⟩	⟨glyph⟩	⟨glyph⟩	⟨glyph⟩	⟨glyph⟩
Manenka	⟨glyph⟩	⟨glyph⟩	⟨glyph⟩	⟨glyph⟩	⟨glyph⟩	⟨glyph⟩	⟨glyph⟩
OTROS							
Bassa	⟨glyph⟩	⟨glyph⟩	⟨glyph⟩	⟨glyph⟩	⟨glyph⟩	⟨glyph⟩	⟨glyph⟩
Wolof	⟨glyph⟩	⟨glyph⟩	⟨glyph⟩	⟨glyph⟩	⟨glyph⟩	⟨glyph⟩	⟨glyph⟩
Fula Dita	⟨glyph⟩	⟨glyph⟩	⟨glyph⟩	⟨glyph⟩	⟨glyph⟩	⟨glyph⟩	⟨glyph⟩
Fula (Ba)	⟨glyph⟩	⟨glyph⟩		⟨glyph⟩	⟨glyph⟩	⟨glyph⟩	
Bete	⟨glyph⟩	—	⟨glyph⟩ teu	⟨glyph⟩	⟨glyph⟩	⟨glyph⟩	⟨glyph⟩
Bamum (1906)	⟨glyph⟩	⟨glyph⟩ ket	⟨glyph⟩ ket	⟨glyph⟩	⟨glyph⟩	—	—
(1916)	⟨glyph⟩	2	⟨glyph⟩	⟨glyph⟩	⟨glyph⟩	—	⟨glyph⟩
Obɛri Okaimɛ	⟨glyph⟩	⟨glyph⟩	⟨glyph⟩	⟨glyph⟩	⟨glyph⟩	⟨glyph⟩	⟨glyph⟩
djuka	⟨glyph⟩	⟨glyph⟩		⟨glyph⟩	⟨glyph⟩	⟨glyph⟩	

mende...) no siempre resultan demasiado convincentes. Y pese a ello, este investigador concluye que Woyo Culubayi «ha creado un sistema original, el masaba, sirviéndose parcialmente de otros elementos tradicionales más antiguos».[4] Ha sido, sin duda, la opinión de Galtier, en el sentido de que existía una tradición gráfica mande, lo que ha llevado a David Dalby, especialista en escrituras africanas, a separar los sistemas mande de otros sistemas, tal como se muestra en el cuadro comparativo que acompaña estas líneas.[5]

Por una parte estarían aquellos sistemas en los cuales se encuentra un alto grado de coherencia: en manenka, bassa, wolof, fula, oberi y, en me-

Figura 3. El alfabeto manenka de Suleymán Kanté

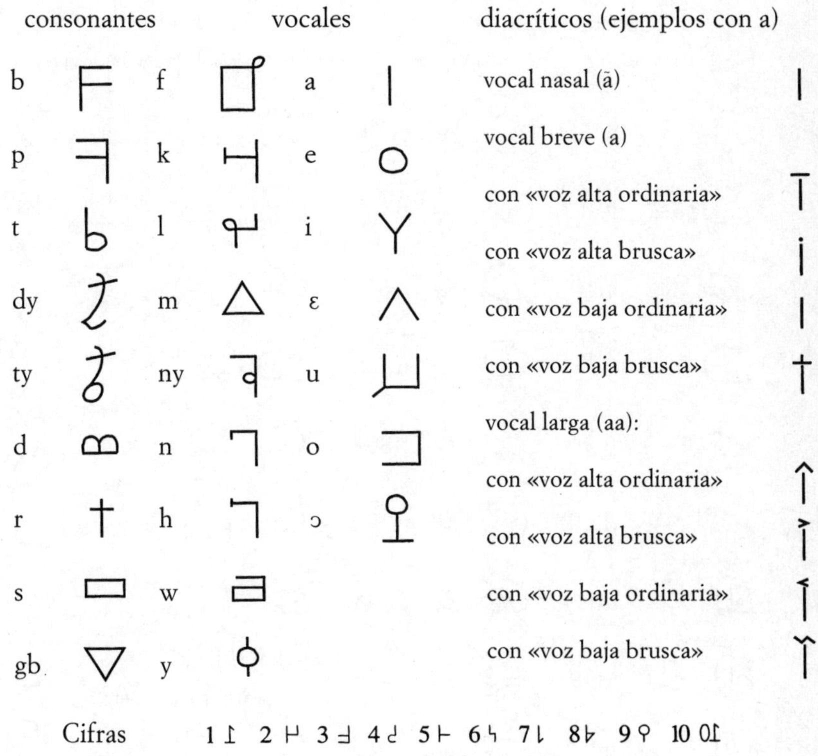

consonantes		vocales		diacríticos (ejemplos con a)	
b		f		a	vocal nasal (ã)
p		k		e	vocal breve (a)
t		l		i	con «voz alta ordinaria»
					con «voz alta brusca»
dy		m		ε	con «voz baja ordinaria»
ty		ny		u	con «voz baja brusca»
d		n		o	vocal larga (aa):
					con «voz alta ordinaria»
r		h		ɔ	con «voz alta brusca»
s		w			con «voz baja ordinaria»
gb		y			con «voz baja brusca»

Cifras   1   2   3   4   5   6   7   8   9   10

Fuente: Dalby, 1986.

4. *Ibid.*, pág. 266.
5. David Dalby, *L'Afrique et la lettre*, París, Karthala, 1986.

nor medida, en mende, aparece una consonante a la cual se añaden diacríticos que sirven para hacer notación de las vocales; pese a que estas letras no recuerdan en nada a las del alfabeto árabe, parece evidente que tal alfabeto ha sido el inspirador de estos sistemas. Pero en otros ejemplos (como el vai, el bambara, el loma, el bete...), no existe la menor organización del sistema de notación: en el primer caso nos encontramos ante alfabetos; y en el segundo caso, ante notaciones silábicas arbitrarias cuyo origen y estructura no acaba de descubrirse. Decir algo más sobre este tema sin aportar ninguna prueba resultaría aventurado, como también lo sería empeñarse en situar estos sistemas dentro de una tradición sobre la cual no

Figura 4. El alfabeto wolof de Assane Faye

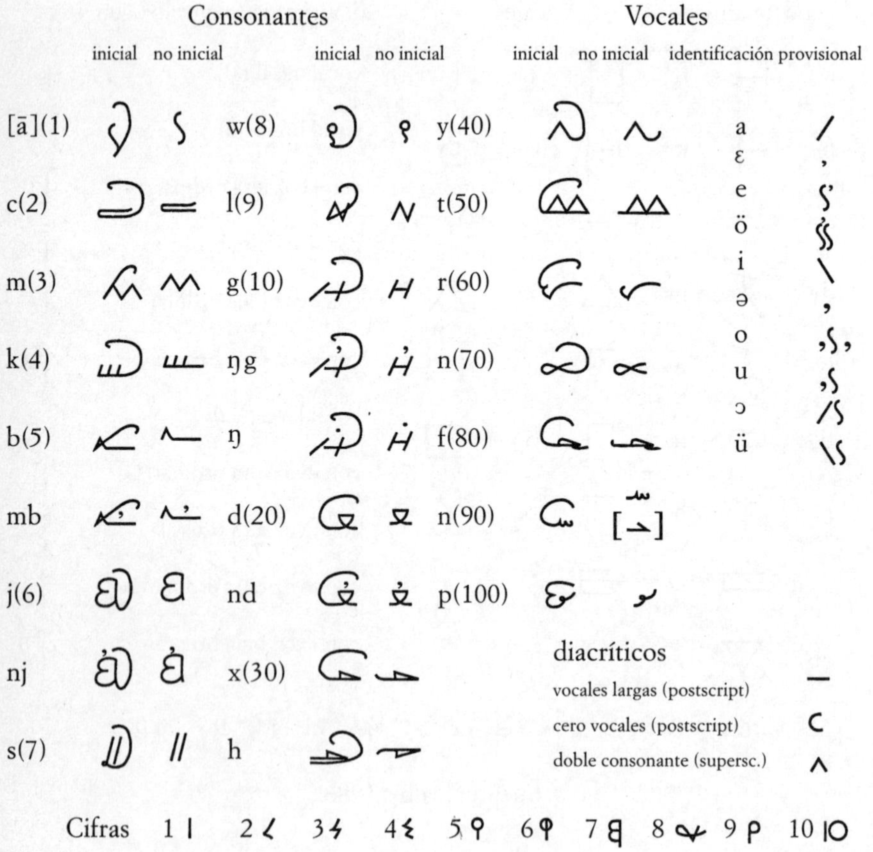

Fuente: Dalby, 1986.

existe la menor prueba. Los autores de *L'Afrique et la lettre* afirman por ejemplo que en vai y en bambara las notaciones de ki, ka y ku se asemejan, lo cual es cierto en el caso de ku aunque discutible en todos los demás. De hecho, estos silabarios mande parecen tener muy poco en común, resultando en el momento actual imposible cualquier intento de reconstrucción o rastreo de su origen.

Pero en África, por lo que parece, esta reciente floración de alfabetos está directamente relacionada con su concreta situación sociopolítica: si bien en la mayoría de los casos se tenían a disposición otras posibilidades de escritura (ya se tratara de una lengua utilizada con fines religiosos, como el árabe, o de las lenguas coloniales, como el francés, el inglés o el portugués) hubo quienes sintieron la necesidad de enfrentarse con algo similar a un desafío, como si quisieran demostrar que sus lenguas también podían ser transcritas. La idea de concebir escrituras capaces de transcribir lenguas no partió, entonces, de sí mismos, sino que les fue inspirada por los ejemplos de su alrededor, tratando entonces en algunos casos de imitarlos. Y el hecho de que en la actualidad la totalidad de las lenguas del África negra se transcriban por medio del alfabeto latino debería ya hacernos reflexionar. Si existe, en efecto, en esos intentos de crear alfabetos autóctonos cierta voluntad «nacionalista» o «identitaria», entonces el triunfo del alfabeto latino no supone tanto el testimonio de su superioridad técnica (Dalby señala por otra parte determinadas imperfecciones y sugiere una «extensión normalizada» de este alfabeto) como de algunas relaciones de fuerza susceptibles de ser leídas a muchos otros niveles, pese a que nosotros las estudiemos aquí únicamente en el nivel de la transcripción de lenguas. No estoy, de ninguna manera, intentando sugerir que tales alfabetos propios resultarían técnicamente preferibles al alfabeto latino, sino que simplemente intento recordar, para terminar, que cuando se produce una «guerra entre lenguas» ésta se extiende también a la «guerra entre escrituras»,[6] y que África es a este respecto un ejemplo inmejorable de tal conflicto semiológico. Frente a esas esporádicas tentativas de crear alfabetos tomando como base, ciertamente, otro alfabeto importado en virtud de determinada cruzada religiosa o simplemente del colonialismo, por más que sean considerados autóctonos, en especial se les plantea a los Estados africanos el problema de saber cuál de esos alfabetos importados puede ser utilizado con carácter oficial. Ello supone quizá la constatación

6. Véase Louis-Jean Calvet, *La Guerre des langues et les politiques linguistiques*, París, Payot, 1987.

de un fracaso y de una relación de fuerzas. Incluso en el caso de que, tal como recordábamos al principio de este libro, el alfabeto no suponga la única forma de escritura, incluso aunque más de mil millones de individuos se sirvan, por ejemplo, de la escritura china, la situación de África demuestra, por una parte, que, en la actualidad, cuando se quiere dotar de escritura a las lenguas primero se piensa en un alfabeto y, por otra, que entre los alfabetos del mundo el latino resulta hoy mayoritariamente predominante, de la misma manera en que también hoy predominan, tal como veremos en el capítulo siguiente, las cifras árabes. Y tal predominio semiológico, que puede parecer un síntoma benigno, no deja sin embargo de ofrecer testimonio, a su manera, del poder alcanzado por Occidente con relación al resto del mundo.

Capítulo 10

La escritura de los números

Del mismo modo en que resultaba necesaria la existencia, antes de pasar a la escritura, de una comunicación oral o gestual, puesto que la historia de las escrituras está ligada a la de los sistemas de comunicación gestual, la historia de los números está subordinada a la necesidad de contabilizar. ¿En qué momento y en dónde los hombres comenzaron a contar? Por supuesto que esta cuestión no puede tener respuesta, pero el estudio de los diferentes sistemas de numeración aparecidos a lo largo y ancho del mundo ofrece una idea más que suficiente del modo en que los hombres comenzaron a contar, de lo que seguramente sucedió en el momento en que comenzaron a organizar y, más tarde, a numerar el mundo como si se tratara en su conjunto de un activo contable.

Y es que, en efecto, todo lleva a pensar que los hombres contaron primero sirviéndose de sus dedos (de una mano, de las dos manos, o incluso de las manos y de los pies) y en ocasiones incluso que contaran ayudándose de las diferentes articulaciones de sus cuerpos. Es lo que algunos han denominado «inventario por medio del esqueleto». De este modo, en el estrecho de Torres se han encontrado todavía individuos que cuentan del 1 (sirviéndose del meñique de la mano derecha) al 33 (con el dedo pequeño del pie derecho), pasando por las articulaciones del puño, del codo, del hombro, etc. De la misma forma, los papúes de Nueva Guinea cuentan del 1 (con el meñique derecho) al 22 (el meñique izquierdo), pasando por las articulaciones del codo, del hombro, a la vez que por los ojos, la nariz, la boca, etc. En la mayoría de los casos, el nombre de la parte del cuerpo utilizada sirve también para denominar el número: no se le daba primero, por tanto, nombre a los números, sino que éstos estaban asociados al nombre de cada dedo o de la mano. Así, por ejemplo, en la Amazonia ecuatorial los jívaros denominan *jimiar* («par de dedos») a la cifra dos, *uwej* («mano») al cinco, *nawe* («pie») al diez, etc. Se trata de una práctica de tipo mnemotécnico en la que se combina una serie gestual (un dedo, dos dedos, tres dedos, etc.) con una serie fonética (el nombre de tales dedos).

Pero el orden de estas denominaciones se haría tan habitual que el significante iría perdiendo progresivamente su significado inicial: aquellos términos que, posiblemente, designaban partes del cuerpo fueron desemantizándose, pasando a dar nombre sólo a una cifra. Tomemos el nombre de las cifras en español y en algunas otras lenguas indoeuropeas:

español	*francés*	*italiano*	*portugués*	*inglés*	*alemán*
uno	un	uno	um	one	ein
dos	deux	due	dois	two	zwei
tres	trois	tre	tres	three	drei

holandés	*bretón*	*ruso*	*griego*	*latín*	*sánscrito*
een	eun	adin	hén	unus	éka
twee	diou	dva	duo	duo	dvi
drie	tri	tri	treis	tres	tri

etc.

Veremos que podemos remontarnos a ciertas raíces propias del tronco indoeuropeo: *oin (que expresa la idea de único), *dwi, *tre, etc., aunque no nos es conocido el sentido de tales palabras antes de que sirvieran para designar cifras: tal vez fueran empleadas para referirse a distintas partes del cuerpo, a los dedos primeros, etc. Lo que parece seguro es que, incluso imaginando que *oin haya podido designar en indoeuropeo un dedo, quizás el pulgar, o *dwi, un par de dedos, etc., las palabras que les corresponden en la actualidad en las distintas lenguas indoeuropeas no conservan registro de tales etimologías, no designando hoy ninguna otra cosa salvo las cifras.

Disponiendo para la actividad de contar sólo con las partes del cuerpo surgen enseguida dificultades cuando se trata de inventariar cantidades importantes. De ahí que se pensara en alguna estructura de base cíclica capaz de volver sobre sí misma y que se encontraba ya en esa contabilidad realizada por medio del esqueleto, aunque tomándose ahora un número menor de unidades, como los cinco dedos de una mano, los diez dedos de las dos manos o incluso los veinte dedos de manos y pies. Desde ese momento, se podía ya contar multiplicando por la base. Por ejemplo, en un sistema de base cinco (los cinco dedos de la mano), dos manos tenían el valor de diez, tres manos el valor de quince, etc.

Como se ve, este modo de presentar la aparición de las prácticas contables está en la línea de eso que, en el primer capítulo, llamé gestualidad. Existirían de ese modo diversas formas de contar, consistentes en mostrar dos o tres dedos para pedir, por ejemplo, dos o tres vasos de cerveza, para indicar un precio o para muchas otras actividades. Paralelamente, las prácticas contables tendrían también cierto carácter pictórico, que, al igual que la escritura (recordemos las manos de Gargas), no se encuentra necesariamente vinculado a la lengua: aunque se realicen incisiones sobre huesos o sobre trozos de madera, o aunque se guarden tantas piedras como animales contiene un rebaño, este modo de contar permanece, deja rastros, contrariamente a la gestualidad, por su misma esencia fugaz. Es algo similar al arquetipo del pistolero del Oeste, quien hace una muesca por cada enemigo muerto sobre las cachas de su Colt, pues así pone de manifiesto cierta práctica contable que entraría también en el marco de lo pictórico. Pero el pastor que gracias a las incisiones o a las piedras era capaz de «contabilizar» su ganado no podía saber si poseía diez animales, veinte o treinta; sólo sabía que poseía tantos como piedras había apartado o como incisiones había realizado, pues él no estaba nombrando el número de sus cabezas de ganado.

Mi intención no es seguir paso a paso la historia de la numeración[1] ni la del nombre de las cifras: no hablaremos aquí más que de sus formas de escritura. Ya hemos podido comprobar que los diversos tipos de escritura no surgieron con el fin de transcribir poemas o textos literarios, sino, antes bien, leyes y contabilidades. Se puede entender entonces que las cifras estuvieran muy presentes y que interpretaran incluso un papel de excepción: así, se encuentran desde Sumer cifras combinadas con los primeros pictogramas.

1. Véase sobre este tema Geneviève Guitel, *Histoire comparée des numérations écrites*, París, Flammarion, 1975, y Georges Ifrah, *Histoire universelle des chiffres*, París, Seghers, 1981, cuya reciente reedición ha supuesto en Francia un importante éxito editorial.

Los sumerios disponían de una forma de numeración de bases alternas, 10 y 6, contando con una notación especial para 1, 10, 60, 600, 3.600, 36.000. Tales signos experimentarían la misma rotación que todos los demás pictogramas sumerios, que han quedado expuestos al comienzo de este libro:

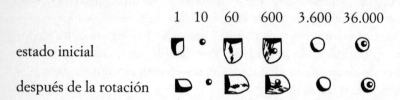

La repetición de la notación del 1 permitía ir del 1 al 9; la del 10, del 10 al 50; la del 60, del 60 al 540, etc.; es decir, que el sistema se basaba en la yuxtaposición de las seis cifras base, cosa que convertía estas notaciones en series muy largas. Se empezó a desarrollar entonces un sistema de abreviatura que recurría a la sustracción: en lugar de escribir nueve veces 1

—se escribía 10 - 1: ⟨𝖙

—o también 20 - 2 en el caso de 18: ⟨𝖉𝖉 , etc.

(el signo ⟨ , leído /la/, significaba «menos»).

LOS NÚMEROS CUNEIFORMES

Los números arcaicos que acabamos de ver adoptaron las siguientes formas cuneiformes:

	1	10	60	600	3.600	36.000
A	𝖉	°	𝖉	𝖉	○	◉
B		⟨	𝖞	⟨⟨	◇	◈

Y las series de unidades tomaron estas otras:

1	2	3	4	5	6	7	8	9
𝖞	𝖞𝖞	𝖞𝖞𝖞	𝖞𝖞 𝖞𝖞	𝖞𝖞𝖞 𝖞𝖞	𝖞𝖞𝖞	𝖞𝖞𝖞𝖞	𝖞𝖞𝖞𝖞	𝖞𝖞𝖞𝖞𝖞

De esta manera se podía escribir:

—–38 ◁◁◁ 𝍩   (tres veces 10 + ocho veces 1)

—–117 𒁹 ◁◁◁ 𒀹   (60 + cinco veces 10 + siete veces 1)

—–221 𒁹𒁹𒁹 ◁◁◁ 𒁹   (tres veces 60 + cuatro veces 10 + 1), etc.

He aquí, por ejemplo, una tablilla de Uruk con unas operaciones en el anverso y las mismas en el reverso, aunque presentadas de manera diferente:

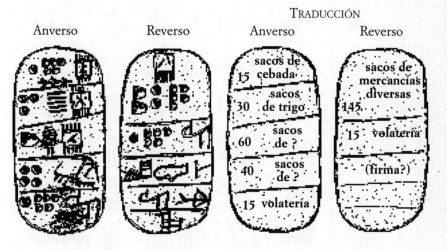

TRADUCCIÓN

Anverso	Reverso	Anverso	Reverso

| | | | |

15 sacos de cebada

30 sacos de trigo

60 sacos de ?

40 sacos de ?

15 volatería

sacos de mercancías diversas 145

15 volatería

(firma?)

Fuente: Georges Ifrah, *Histoire universelle des chiffres*, pág. 194.

Como se puede ver, en el reverso simplemente se indica el número global de sacos, mientras que en el anverso se detalla el contenido de esos mismos sacos.

LOS NÚMEROS EGIPCIOS

Los egipcios escribían sus cifras sirviéndose de la numeración decimal. Ya hemos visto que podía variar el sentido de la escritura (y que éste quedaba indicado por la dirección de las miradas de animales y seres humanos), adoptando los números dos formas, según fuera el sentido de la escritura.

La notación del 1 se repetía tantas veces como se creyera necesario si se trataba de llegar hasta el 9, después se repetía la del 10 para llegar hasta el 90, y así sucesivamente, comenzándose siempre por la cifra más elevada.

	Unidades	Decenas	Centenas	Millares	Decenas de mil	Centenas de mil
1						
2						
3						
4						
5						
6						
7						
8						
9						

Fuente: Georges Ifrah, pág. 221.

De este modo, y para retomar los mismos ejemplos de antes:

—se escribía 38   (tres veces 10 + ocho unidades),

—se escribía 11   (una centena + una decena
                                          + siete unidades),

—se escribía 221   (dos centenas
                                          + dos decenas + una unidad).

LOS NÚMEROS CHINOS

La escritura china dispone de trece caracteres para designar diez cifras (del 1 al 10) y las tres primeras potencias de 10:

yi   er   san   si   wu   liu   qi   ba   jiu   shi

一 二 三 四 五 六 七 八 九 十

bai (100)   qian (1.000)   wan (10.000)

百   千   万

y se escriben de la manera en que se pronuncian, siendo de hecho tales «números» caracteres del mismo tipo que los demás.

Por ejemplo, en mandarín se dice *er shi* (20, es decir, «dos diez»), y se escribe:

二 十

se dice *san shi ba* (38, es decir, «tres diez ocho»), y se escribe:

三 十 八

se dice *bai shi qi* (117, «cien diez siete»), y se escribe:

百 十 七

se dice *er bai er shi yi* (221, «dos cien dos diez uno»), y se escribe:

二 百 二 十 一

Este sistema resulta muy alejado del francés, donde se dice /trãt/ y se escribe en unos casos *trente* y en otros 30. En el primer caso se transcribe gracias al alfabeto la pronunciación del número, y en el segundo se utilizan unas cifras que no tienen la menor relación con la pronunciación. La propia serie gráfica 30, que en francés se lee *trente*, se lee en español *treinta*, en inglés *thirty*, en italiano *trenta*... Pero este sistema de notación,

30, en lugar de tres veces diez como hacían los egipcios, o de tres + diez como los chinos, es producto dé una revolución fundamental en la escritura de las cifras: *el descubrimiento de la numeración de posición*, sobre la cual volveremos más adelante.

Señalemos primero cómo algunos pueblos hicieron diversas innovaciones, escribiendo los números con la ayuda de letras, ya fuera utilizando la inicial del nombre de la cifra o concediendo a las letras del alfabeto valores numéricos. De esta manera, los griegos hacían la notación de las cifras del 1 al 4 con ayuda de barras verticales y, para continuar con 5, 10, 100, 1.000 y 10.000, sirviéndose de «siglas»: P para penta (*pende*, «cinco»), D para deca (*deka*, «diez»), H para hecatón (*hekaton*, «cien»), etc. Paralelamente a este sistema, utilizaban también las letras del alfabeto en su orden habitual: A o a para 1, B o b para 2, G o g para 3, D o d para 4, etc.

Los hebreos pronto tomarían en préstamo este sistema a los griegos: en la numeración hebraica se seguía el orden de las letras del alfabeto del 1 al 9, después del 10 al 90, luego del 100 al 400. Para otras cifras más elevadas, se procedía mediante la adición de letras: 400 + 100 en el caso de 500, 400 + 400 + 100 en el de 900, y así sucesivamente.

De esta manera las palabras podían tener valores numéricos (que podían calcularse sumando simplemente el valor de las letras que la componían), lo que daría cauce a las interpretaciones más arriesgadas o a la magia cabalística. Ciertas combinaciones de letras significaban también valores simbólicos, y por eso los judíos no escribían nunca el número 15 utilizando 10 + 5, sino 9 + 6. En efecto, el conjunto 10 + 5 (es decir, yod y he) da las dos primeras letras del nombre de Dios: Yahvé...

Los romanos emplearon igualmente letras en la transcripción de cifras, y en este sistema habría que distinguir entre I, V y X por una parte, es decir, 1, 5 y 10, y L, C y M por la otra, es decir, 50, 100 y 1.000. La utilización de una barra vertical como notación de la unidad, de dos barras como la del número 2, de tres barras como la del 3, etc., no tiene nada de novedoso ni sorprendente: esta organización ya la habíamos visto antes, pues era usual entre los griegos, y otras numerosas culturas lo utilizarían a su vez. Un caso diferente es el de V y X. Sin embargo, destaquemos que cuando se hacen incisiones en madera, hueso o piedra no se está en disposición de demasiadas soluciones gráficas, al margen de esa barra vertical que se puede repetir muchas veces: desde luego, se pueden utilizar barras horizontales o también cruces capaces de adoptar dos formas: + o X. Los romanos utilizaron la X como notación del número 10, allí donde los grie-

Letras hebraicas	Nombres y transcripciones de letras		Valores numéricos	Letras hebraicas	Nombres y transcripciones de letras		Valores numéricos
א	alef	'a	1	ל	lamed	l	30
ב	bet	b	2	מ	mem	m	40
ג	guimel	g	3	נ	noun	n	50
ד	dalet	d	4	ס	samekh	s	60
ה	he	h	5	ע	'ayin	'	70
ו	vav	v	6	פ	pe	p	80
ז	zayin	z	7	צ	tsade	ts	90
ח	het	ḥ	8	ק	qof	q	100
ט	tet	ṭ	9	ר	resh	r	200
י	yod	y	10	ש	shin	sh	300
כ	kaf	k	20	ת	tav	t	400

Fuente: Georges Ifrah, pág. 269.

gos se sirvieron de la «sigla» D por razones que se nos escapan (quizá no disponían de muchas soluciones gráficas), y de esta X se deriva la V como notación del 5: V es la mitad de X, pues se trata de una X partida en dos. De este modo se puede comprender el origen de las tres primeras cifras romanas, I, V y X.

Por otra parte, existían en el alfabeto griego algunas letras que no corresponden a ningún sonido de la lengua latina, Φ, Ψ y Θ, letras que los romanos utilizaron para completar su sistema de notación de cifras. La equivalencia letra-número es la siguiente: Φ = 1.000, Θ = 100 y Ψ = 50. Más tarde la forma de la letra Ψ evolucionaría hacia L, Φ sería reemplazada por M durante la Edad Media, mientras que Θ se reemplazaría por C (porque C es la inicial de *centum* y al mismo tiempo constituye una simplificación de Θ). Tal forma de notación se utilizaría en Europa hasta el siglo X: y es que, en efecto, en cierto manuscrito del año 976, el *Codex Vigilanus*, aparecerán por vez primera cifras «árabes» en lugar de las hasta entonces habituales cifras romanas.

Pero volvamos al tema de las primeras notaciones de números. Lo que caracteriza a las escrituras de números sumeria, egipcia o china es que las cifras disponen siempre del mismo valor: el número 221 se escribía entre los sumerios 3 veces sesenta + 4 veces diez + uno (8 cifras), y por los chinos dos + cien + dos + diez + uno (5 cifras), aunque no hay más que tres cifras en la notación 221. Lo que verdaderamente ha cambiado gracias a las notaciones modernas es el concepto según el cual el lugar en que se encuentran las cifras es determinante de su valor: por ejemplo, en 221 el primer 2 vale 200 y el segundo 20. Esta transformación irá acompañada de la invención del cero (señalemos que el origen del término *cifra* está en una palabra árabe que significa «cero», «vacío»), noción que, inicialmente, expresaba la ausencia de unidades en cierto orden numérico. Y gracias a la aparición del cero (y de la numeración posicional), en adelante iban a ser suficientes diez signos, solamente diez, para hacer la notación de cualquier número, por elevado que fuera éste.

Este invento resulta comparable en realidad con el del alfabeto; por otra parte, al igual que en el caso de los alfabetos, que como hemos podido ver provienen todos de la misma cuna semítica, los sistemas de notación de estos diez signos parecen también tener un origen común. Esas cifras utilizadas por nosotros (1, 2, 3, 4, 5, 6, 7, 8, 9 y 0) son llamadas tradicionalmente «cifras árabes», pero ello no significa en absoluto que ese sistema del cual no son más que una mera variante fuera creado por los árabes. En realidad, por lo que parece, el origen de nuestros números se encuentra en la India, y data del siglo V o VI d.C. De la misma manera en que hemos seguido la evolución de la forma de las letras a partir de los prototipos fenicios y arameos, igualmente se pueden rastrear las diversas modificaciones gráficas efectuadas en los números: la forma varía, pero el principio continúa siendo el mismo. He aquí, para comenzar, algunos de los sistemas cuyo uso está más extendido por el planeta:

	1	2	3	4	5	6	7	8	9	10
hindi	१	२	३	४	५	६	७	८	९	१०
chino	一	二	三	川	五	六	七	八	九	十
oriya	୧	୨	୩	୪	୫	୬	୭	୮	୯	୧୦
árabe	١	٢	٣	٤	٥	٦	٧	٨	٩	١٠
tibetano	༡	༢	༣	༤	༥	༦	༧	༨	༩	༡༠
tailandés	๑	๒	๓	๔	๕	๖	๗	๘	๙	๑๐
birmano	၀	၁	၂	၃	၄	၅	၆	၇	၈	၉	၀၀

Mirando este cuadro de arriba a abajo para comparar las distintas formas de notación de las cifras, puede que uno no acabe de convencerse del todo del origen común de todos estos sistemas. Sin embargo, consideremos la reconstrucción de esta evolución que Georges Ifrah ha propuesto en el caso de cada número.

Como se puede ver, entre el ☰ gupta y el ३ nagarí (hindi), y entre el ३ tibetano, el ٣ árabe y nuestro 3, sólo cambia el trazo del movimiento de la mano, del mismo modo y por las mismas razones que la I fenicia se convirtió en Z. Lo mismo ocurre en el caso de la ＝ gupta, en donde se percibe la evolución hacia la ๒ tailandesa pasando por ᄼ o ᄾ, y hacia nuestro 2 pasando por el ३ nagarí. Y esta relación, que desde el punto de vista histórico seguramente no es más que una hipótesis, si bien hipótesis fundada sobre sólidos indicios, parece desde entonces mucho más convincente.

En el mercado de Cantón, en China, o en el de Chang-mai, en Tailandia, al igual que en muchos otros lugares del mundo, no deja de ser frecuente que los turistas que quieren comprar algunos productos y los mercaderes que los venden no hablen la misma lengua. Esta situación (la necesidad de establecer comunicación y la ausencia de instrumentos comunes de comunicación), propicia de la aparición de lenguas vehiculares,[2] se puede solven-

2. Véase Louis-Jean Calvet, *Les Langues véhiculaires*, París, PUF, 1981.

El *número* 1

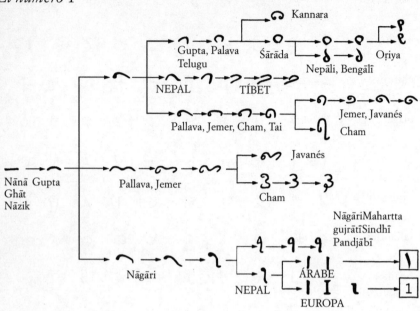

El *número* 2

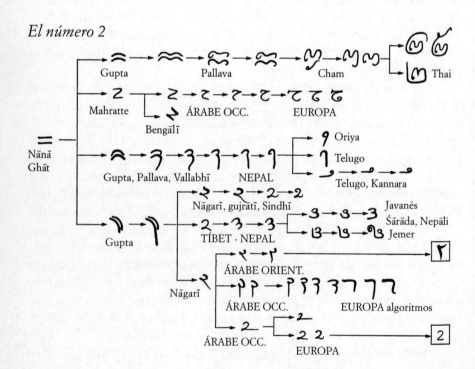

El número 3

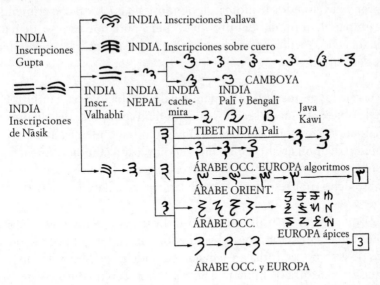

El número 4

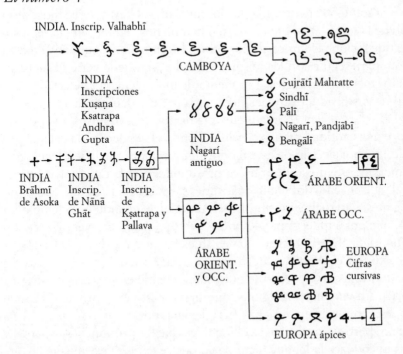

tar, qué duda cabe, por medios gestuales: el cliente señala lo que quiere comprar y el vendedor le indica, sirviéndose de un gesto o escribiéndoselo en un papel, el precio del producto. Pero para que esta secuencia, en apariencia tan sencilla, se produzca se precisan de dos cosas que están lejos de ser tan simples:

1) que los gestos utilizados para señalar el objeto o para indicar el número de objetos deseado sean los mismos tanto por parte del cliente como del vendedor. De esta manera, un francés tendrá tendencia a «decir» uno por medio del pulgar ahí donde un chino utilizará el índice, mientras que el gesto francés para «decir» dos (con el pulgar y el índice) significará para un chino ocho (por semejanza con el carácter que hace la notación de esa cifra);

2) que las cifras utilizadas para indicar los precios sean conocidas tanto por el cliente como por el vendedor. Sin embargo, justamente acabamos de ver que, de India a Alemania pasando por China y Tailandia, los sistemas de escritura de números, pese a contar con un mismo origen, han llegado a diferenciarse entre sí enormemente.

A la solución encontrada por los mercaderes hay que reconocerle el mérito de la sencillez, si bien al mismo tiempo nos da una clara lección sobre lo que supone el imperialismo cultural. Tanto en Chang-mai como en Cantón, para seguir con los mismos ejemplos, se puede ver en la actualidad a los mercaderes teclear por medio de una calculadora electrónica el precio de sus productos, y después mostrarle la calculadora a un cliente quien, a su vez, teclea el precio que está dispuesto a pagar (por supuesto, siempre una cantidad menos elevada), dando el vendedor «la callada por respuesta», por decirlo de este modo, aunque ahora recurriendo a la técnica moderna. Semejante práctica presupone, no obstante, algo fundamental: que el vendedor chino o tailandés sabe leer las cifras utilizadas por sus clientes, habitualmente europeos. Ahora bien, cuando por ejemplo un chino, que por supuesto para escribir diez (que sean diez yens o diez dólares tanto da al caso) teclea «10» en su calculadora, y después lee el «5» propuesto por el cliente, y luego a su vez exige «ocho», y así durante un rato..., hay que darse cuenta de que está poniendo en práctica un sistema pictórico sin vinculación alguna con ningún gesto en particular. Él sabe cómo se pronuncian estos signos en su lengua (por ejemplo *shi* para 10, *ba* para 8...), pero sin duda ignora el modo en que los pronuncia su cliente, y tal vez ni conozca la lengua materna en que se expresa ese mismo cliente suyo. ¿Cuál será entonces, en estas condiciones, el estatuto de la serie 1, 2, 3, etc., en relación con las otras series que tienen la misma función y que se encuentran a lo largo y ancho del globo terrestre?:

—desde un primer punto de vista, esta serie resulta similar a todas las demás: 1, 2, 3, etc., al igual que las otras series utilizadas en el mundo, está conformada por eso que podríamos denominar logogramas, como en el caso de los caracteres chinos. En efecto, estas cifras no ofrecen la menor pista sobre su pronunciación, pero se pueden combinar en conjuntos cada vez más complejos, bastándose perfectamente por sí mismas para transcribir lo que tienen que transcribir;

—desde otro punto de vista, esa serie es muy distinta de todas las demás, puesto que es la que elige «espontáneamente», el mercader asiático: éste da por supuesto que su cliente europeo será incapaz de entender los precios si le son indicados en caracteres chinos o en alfabeto tailandés. Así, los números árabes son, con respecto a los otros tipos de numeración lo que el inglés es con relación a las otras lenguas, o lo que el alfabeto latino (el soporte gráfico de las grandes lenguas imperiales occidentales, como el inglés, el francés, el español o el portugués) representa frente a los demás alfabetos; y es que la expansión de estas cifras «árabes», al igual que la del alfabeto latino en el África negra, tema que ya hemos tratado en el anterior capítulo, nos dice mucho sobre ciertas relaciones forzadas que se trasladan al plano gráfico. Aquí también, la escritura (de los números) resulta ser indicadora de un tipo de guerra semiológica, y la dominación de un tipo de escritura (los números «árabes») indica el predominio (en este plano simbólico, pero en realidad también en el plano económico) de una parte del mundo sobre la otra.

Capítulo 11

Métodos de desciframiento pasados y futuros

Inserta dentro de la historia de las escrituras aparece otra historia distinta: la de sus desciframientos. Y es que si bien algunos sistemas, como los alfabetos griego, hebreo, latino o árabe, como los caracteres chinos o los kana japoneses, nos han sido transmitidos de generación en generación desde su aparición sin que planteen el menor problema, existen otros cuyo uso se perdió en algún momento del tiempo; algunos de ellos, recientemente descubiertos, han podido ser descifrados tras arduas dificultades, sin embargo, otros siguen rodeados todavía del mayor misterio. Si partimos del principio de que las escrituras sirven para transcribir las lenguas, cabrá observar entonces desde el punto de vista del proceso de desciframiento cuatro casos diferentes, ilustrados por el siguiente cuadro:

		lengua	
		conocida	desconocida
	conocida	caso 1	caso 2
escritura			
	desconocida	caso 3	caso 4

El caso 1 (lengua conocida, escritura conocida) no nos afecta directamente, aunque algún individuo pueda tener problemas: por ejemplo, un francés puede hablar inglés o español, conocer el alfabeto latino y no saber de qué modo se pronuncia la j en español o la ch en inglés. Sin duda, tendrá tendencia llegado el momento a leer la palabra inglesa *chop* como la francesa *chope*, pero ello no tiene nada que ver con el proceso de desciframiento de las escrituras. Se trata del caso en el cual una escritura se usa como forma de transcripción de otra lengua distinta a la lengua considerada.

El caso 2, cuyo mejor ejemplo vendría a ser el etrusco, plantea otra clase de problemas. Seremos capaces en este caso de leer en voz alta un texto, pero sin conocer su significado. Un individuo se puede encontrar en una situación similar si lee, a la manera francesa, un texto alemán del que no entiende ni una sola palabra. Para el científico, el proceso de desciframiento dependerá entonces fundamentalmente de la existencia de textos bilingües.

El caso 3 resulta relativamente sencillo, pudiéndose afirmar que cualquier escritura de la cual sabemos qué lengua transcribe podrá ser descifrada tarde o temprano. Anteriormente ya vimos el ejemplo del maya, en el capítulo dedicado a las escrituras de América Central.

El caso 4 resulta indudablemente el más complejo. Lo habitual es que el proceso de desciframiento pase entonces por una hipótesis sobre cuál podrá ser la lengua transcrita por la escritura (caso del copto para los jeroglíficos egipcios o el cholan para los glifos mayas) o por la utilización de inscripciones bilingües, si es que existen. Ésta era la situación en que se encontraban a comienzos del siglo XX quienes intentaban descifrar la escritura lineal B, y es todavía la situación en que nos encontramos en relación con el disco de Efaistos.

HISTORIA DE ALGUNOS PROCESOS DE DESCIFRAMIENTO

En el capítulo 8 nos referíamos a las distintas etapas del desciframiento de la escritura maya, que constituye sin duda la aventura más fascinante en este campo de estos últimos años, y a continuación nos ocuparemos de la historia de otros dos procesos de desciframiento: la escritura egipcia y la llamada escritura «lineal B».

Champollion y los jeroglíficos

Como es sabido, Jean-François Champollion fue capaz de iluminar los misterios que ocultaban los jeroglíficos gracias a los tres textos contenidos en la piedra Rosetta. Pero la carrera de su desciframiento había comenzado mucho antes. Esta forma de escritura había dejado de ser utilizada a comienzos de nuestra era, y sólo en el siglo XVII los eruditos comenzaron a interesarse por tan extraña forma de grafismo. Pero, aparte del jesuita alemán Athanasius Kircher, quien había intuido que el copto era la lengua hablada por los antiguos egipcios, se puede decir que los demás «descifradores» andaban confundidos entre vagas entelequias, atribuyendo a los jeroglíficos raras propiedades mágicas o simbólicas.

No fue hasta el siglo XVIII que el alemán Karsten Niebuhr (que intentaría poco después descifrar el silabario persepolitano), el cual residía en El Cairo hacia el año 1762, avanzó la idea de que el demótico y el hierático no eran escrituras diferentes sino, simplemente, variantes gráficas de la escritura jeroglífica monumental. Igualmente señaló que se percibía un importante desequilibrio entre el número de jeroglíficos egipcios y las ideas de las cuales eran transcripción: por lo tanto, no podía suceder que a cada cosa o a cada transcripción de idea le correspondiera un jeroglífico. Estas dos pistas se iban a revelar fundamentales con posterioridad, si bien el estado de las investigaciones no avanzaría verdaderamente más que a partir del descubrimiento, en 1799, de la llamada piedra Rosetta (descubierta en los alrededores del puerto de Rashid, en el delta del Nilo). En 1802, tras la derrota de las tropas francesas, la piedra sería recuperada por los británicos, encontrándose en la actualidad en el British Museum de Londres. Hoy se sabe que contiene el mismo texto en dos lenguas (griego y egipcio antiguo) y tres escrituras (alfabeto griego, escritura jeroglífica y escritura demótica), aunque sólo el texto griego resultaba por aquel entonces comprensible: se trataba, en definitiva, de un decreto trivial del año 196 a.C., relativo al aniversario del faraón Ptolomeo V, lo que reducía a nada aquellas hipótesis según las cuales la escritura jeroglífica tenía encomendadas «funciones sagradas», si es que, como se suponía, el texto griego era traducción del texto transcrito en escritura jeroglífica. Algunas copias de los textos circularían entre la comunidad científica, por lo cual cada investigador se aplicó en solitario a la tarea de resolver el misterio.

Éste sería el caso del francés Silvestre de Sacy y del sueco J.-D. Akerblad. Akerblad, especialista en copto, reparó enseguida en los nombres

HISTORIA DE LA ESCRITURA

propios griegos citados en la inscripción en demótico (Ptolomeo, Alejandro, Arsinoé y Berenice), deduciendo, pues, dieciséis letras del alfabeto copto, si bien se mostraría incapaz de llegar más lejos. Silvestre de Sacy, especialista en árabe y persa, estaba analizando también por su cuenta los nombres propios, aunque sin progresar demasiado. Más tarde, en 1814, Thomas Young, médico británico y especialista en oftalmología, y al que no podía considerársele una autoridad en el tema, entraría en liza. Partiendo de las investigaciones de Silvestre de Sacy y de Akerblad, enseguida iba a demostrar poseer un agudo ingenio. Así:

—hizo un primer desglose de las líneas del texto, identificando algunos grupos;
—postuló que los jeroglíficos podían tener valores fonéticos;
—confirmó lo que algunos ya habían avanzado anteriormente: el nombre de los reyes estaba contenido en los cartuchos;
—ayudándose del texto griego, descubrió y tradujo algunas decenas de palabras, lo que al poco tiempo le llevaría a afirmar que había traducido el texto completo.

No obstante, aunque ciertamente Young hizo avanzar la situación, sus investigaciones se vieron limitadas porque pensaba estar enfrentándose a un sistema alfabético, razón por la cual apenas progresaron sus esfuerzos de desciframiento: con su publicación en 1819, en el suplemento de la *Enciclopedia Britannica*, prácticamente no se aportaba nada novedoso, nada que sus primeras intuiciones no contuvieran ya. Tal como dijera Doblhöfe, Young había entreabierto una puerta sin franquear del todo su umbral. En otros términos, pese a que había encontrado algunas palabras (en especial, como sus antecesores, el nombre de Ptolomeo), no llegó a comprender el principio estructural de la escritura jeroglífica, y solamente la comprensión de tal principio podía permitir enfrentarse a la lectura de cualquier texto.

Finalmente iba a ser Champollion quien descubriría el código en cuestión. Desde luego, se encontraba al corriente de los trabajos de Silvestre de Sacy (del cual había sido alumno), de Akerblad y de Young (con los cuales mantenía correspondencia), y conocía también el griego, el árabe y el copto, si bien sería por otro camino por donde alcanzaría la solución. Sencillamente, Champollion se limitó a contar el número de palabras del texto griego (486) y el número de jeroglíficos (1.419). Semejante desproporción solamente podía conducirle a una conclusión, que Niebuhr casi había llegado a intuir: cada uno de los jeroglíficos no podían, al igual que los ideogramas, ser transcripción de una sola palabra y, puesto que esta escritura no era alfabética, debía de tener sin duda carácter mixto, combinando al mismo tiempo lo fonético y lo simbólico. Champollion haría este descubrimiento (que no se puede entender, como cabe comprobarse, sin apoyarse en otros trabajos previos) el día 23 de diciembre de 1821. Algo menos de un año después, el 27 de septiembre de 1822, leía en la Académie des inscripcions et belles-lettres un texto de ocho páginas, que se conocería con el nombre de «Carta a Dacier», y cuyo título exacto es «Carta a M. Dacier en relación con el alfabeto de los jeroglíficos fonéticos utilizados por los egipcios para inscribir en sus monumentos los títulos, nombres y apellidos de los soberanos griegos y romanos». Demostraba así que la escritura jeroglífica tiene a la vez carácter fonético e ideográfico, explicando también la manera en que, por acrofonía, un jeroglífico como, por ejemplo, el correspondiente a «boca» (en copto *ro*) puede transcribir la /r/, o «león» (en copto *laboi*) puede transcribir la /l/. De tal manera, estaba exponiendo resumidamente el principio de esta escritura, aunque callándose algo de lo que ya por entonces se había dado cuenta: que este principio no permitía sólo leer los nombres de los soberanos extranjeros, sino también los de todos los soberanos egipcios. Champollion proseguiría, pues, sus febriles investigaciones. En enero de 1824 publicaría su *Compendio del sistema jeroglífico de los antiguos egipcios*. Le quedaban por entonces ocho años de vida, en el curso de los cuales iba a redactar numerosas obras publicadas póstumamente, en particular una *Gramática egipcia o principios fundamentales de la lengua sagrada egipcia aplicada a la representación de la lengua hablada* (aparecida por primera vez en 1836) y un *Diccionario egipcio en escritura jeroglífica* (publicado en 1841).

En definitiva, un esfuerzo colosal. Nada de ello hubiera sido posible sin la intuición y, más tarde, la verificación del hecho de que tras los jeroglíficos se encontraba el copto, la antigua lengua de los cristianos egipcios. Nada de ello hubiera sido tampoco posible sin la ayuda de los textos bilingües, como los contenidos en la piedra Rosetta. Y por último, el lento avance de Silvestre de Sacy y de Akerblad, las intuiciones de Young y el empuje final aportado por Champollion ponen también de manifiesto una circunstancia técnicamente fundamental: gracias al estudio de la transcripción de los nombres propios se había podido resolver el misterio de los jeroglíficos.

Michael Vendriss y la escritura lineal B

A principios del siglo XX fueron hallados en Cnosos los primeros textos en escritura lineal B, aunque iban a permanecer rodeados de misterio todavía medio siglo más: habría que esperar hasta 1952 para que Michael Vendriss y John Chadwick llegaran a algunos resultados en su tarea de desciframiento. El problema provenía esencialmente del hecho de que se encontraban frente a una escritura desconocida que servía para transcribir también una lengua desconocida, lo que supone sin duda el caso más complejo de todos los posibles, complicado, además, por la ausencia de textos bilingües que se pudieran utilizar como apoyo. Los investigadores creyeron inicialmente que la lengua transcrita era el etrusco, aunque finalmente descubrirían que se trataba de griego arcaico.

Desde el principio, Arthur Evans, investigador inglés pionero en excavar Cnosos, dividió este conjunto gráfico en cuatro categorías: dos categorías lineales (A y B) y dos categorías jeroglíficas (A y B):

—la jeroglífica A, aparecida hacia el 2100 a.C., está constituida por pictogramas reconocibles: estrellas, flechas, manos, etc.;

—la jeroglífica B aparecío hacia el 1900 a.C.;

—la lineal A surgió hacia el 1600 a.C., y estaba formada por signos de carácter más abstracto, más «lineales»;

—la lineal B supone el desarrollo formal de la anterior, sin que sea posible precisar la fecha de su aparición ni afirmar con certeza que transcriba la misma lengua. Por lo que parece, desapareció hacia el 1400 a.C.

La mayoría de los documentos encontrados, alrededor de 4.000 tablillas, están redactados en escritura lineal B, siendo ésta, por tanto, sobre la que los investigadores centrarían sus esfuerzos de desciframiento. Desde un punto de vista técnico, la variedad de signos diferentes, más de ochenta en total, demuestran que se trataba de un sistema silábico. Por otro lado, los trazos verticales parecen tener la función de separar palabras, partiendo de éstas las primeras etapas de investigación: mientras Evans fracasaba estrepitosamente en sus tentativas de desciframiento, la norteamericana Alice Kober decidió poner en comparación algunas formas similares entre sí, distintas salvo por sus terminaciones, siguiendo la hipótesis de que las variaciones quizá fueran simples marcas casuales o maneras de señalar el plural o el género. Paralelamente, al comparar la escritura lineal A con el silabario chipriota (descifrado a finales del siglo XIX gracias a ciertas inscripciones bilingües), fueron observados algunos signos similares en ambos conjuntos:

Lineal B	Chipriota	Valor en chipriota
		ta
		lo
		to
		se
		pa
		na
		ti

Fuente: Chadwick, 1958, pág. 24.

Pero este proceso comparativo conduciría a una falsa conclusión: el signo *se*, que en chipriota se utiliza para transcribir la /s/ final, muy frecuente en griego, apenas aparecía en la escritura lineal B, por lo cual ésta no podía servir para transcribir la lengua griega.[1]

Sería Michael Vendriss, joven arquitecto británico, quien finalmente estaría en disposición de comprender el código. En 1950 envió un cuestionario a distintos científicos de todo el planeta que trabajaban en este tema, preguntándoles su opinión sobre el tipo de lengua transcrita o las relaciones entre las escrituras lineales A y B y el silabario chipriota, entre otros asuntos. Por su parte, este investigador trabajaba siguiendo una metodología extremadamente abstracta, por medio de tablas de frecuencia que hacían corresponder un número a cada signo diferente, limitándose a analizar las variables («palabras» similares salvo en su terminación) dejan-

---

1. John Chadwick, *The Decipherment of Linear B*, Cambridge University Press, 1958.

do de lado por el momento el problema de saber qué lengua era la transcrita por la escritura lineal A (según su opinión inicial: la etrusca). Como determinados signos estaban en combinación con pictogramas, postuló que los asociados a los pictogramas de «hombre» y «mujer» tenían que señalar el género. Resultado de ello es el siguiente listado:

masculino	femenino
2	60
12	31
36	57
42	54

mostrándose en cada columna la transcripción de una misma vocal (la terminación de las palabras masculinas en la izquierda, y la de las femeninas en la derecha. En la figura 2 se puede ver que se trata de hecho de la «o» y de la «a»), combinada ésta con diferentes consonantes. Continuando por este camino, pudo establecer diversas redes de combinaciones, llegando a postular una distribución de consonantes y de vocales basada en modelos abstractos: en este estadio de sus investigaciones decidió dejar de lado la cuestión fonética. Esto le llevaría a diseñar una compleja red de vocales y de teóricas consonantes, en cuya intersección inscribió unos números a los que les correspondían los diversos signos. Lo hizo de esta manera, por ejemplo:

vocales	I	II	III	IV	V
consonantes					
I			59		57
II	40	10	75	42	54
III	39				03
IV	46	36			
V, etc.					

Vendriss construyó así, conjetura a conjetura, una especie de lengua teórica. Poco después intentó conceder un valor fonético a lo que él creía que podían ser las vocales, y después a las consonantes (véase la figura 1), llegando poco a poco a concluir que el sistema sometido a estudio había servido como transcripción de la lengua griega.

Presentar aquí más en detalle sus progresos sería quizá demasiado engorroso (Chadwick, en 1958, haría una excelente exposición de sus tra-

Figura 1: Silabario lineal B

consonante	vocal 1		vocal 2		vocal 3		vocal 4		vocal 5	
(H-)	A	〒 ⩫	E	⩜	I	Ψ	O	⑂	U	⸕
	DI	⩜								
D-	DA	⊢ ⩫	DE	⩟	DI	⊤	DO	⑂	DU	⩫
J-	JA	⊟	JE	⩟			JO	⑂		
K- G- CH-	KA	⊕	KE	⩟	KI	⑂	KO	⑂	KU	⑂
			KWE	ⱪ						
M	MA	⩫	ME	⩟	MI	⑂	MO	⑂		
N	NA	⩚	NE	⩫	NI	⑂	NO	⩫	NU	⎮◎⎮
	NWA	⩚	NEKO	⩫						
P- B- PH-	PA	⁑ ⑂	PE	ⱪ	PI	⌂	PO	⅂	PU	⑂
			PTE	M						
QU- GU-			QE	⊜	QI?	⑂	QO	⑂		
	RA	⌊ ⑂	RE	Ψ	RI	⑂	RO	⊥	RU	⑂
R- L-	RJA	⑂					RJO	⑂		
S-	SA	⑂	SE	⌶	SI	⩜	SO	⑂	SU	⊏
	TA	⊟	TE	⑂	TI	⋀	TO	⊤	TU	⑂
T- TH-	TJA?	⫿								
W-	WA	⊟	WE	⑂	WI	⩜	WO	⑂		
Z-			ZE	⑂			ZO	↑	ZU?	⊛

Fuente: Michael Vendriss, *Antiquity* n° 27, 1953.

Figura 2. Los 87 signos del lineal B

N.º	Signo	N.º	Signo	N.º	Signo	N.º	Signo
01	da	23	mu	45	de	67	ki
02	ro	24	ne	46	je	68	ro_2
03	pa	25	a_2	47		69	tu
04	te	26	ru	48	nwa	70	ko
05	to	27	re	49		71	dwe
06	na	28	i	50	pu	72	pe
07	di	29	pu_2	51	du	73	mi
08	a	30	ni	52	no	74	ze
09	se	31	sa	53	ri	75	we
10	u	32	qo	54	wa	76	ra_2
11	po	33	ra_3	55	nu	77	ka
12	so	34		56	pa_3	78	qe
13	me	35		57	ja	79	zu
14	do	36	jo	58	su	80	ma
15	mo	37	ti	59	ta	81	ku
16	pa_2	38	e	60	ra	82	
17	za	39	pi	61	o	83	
18		40	wi	62	pte	84	
19		41	si	63		85	
20	zo	42	wo	64		86	
21	qi	43	ai	65	ju	87	
22		44	ke	66	ta_2		

Fuente: Chadwick, 1958, pág. IX.

bajos), si bien se pueden seguir a partir de las numerosas notas enviadas por Vendriss a otros especialistas que por entonces trabajaban sobre el mismo tema. Éste, que hasta el momento se podía considerar un «investigador» solitario (por esa época dedicaba su jornada laboral a su trabajo como arquitecto), comenzó entonces a colaborar con John Chadwick, una autoridad en el campo de la filología clásica. Chadwick había abandonado enseguida la hipótesis etrusca en favor de la hipótesis griega, que a la postre sería la adecuada, llegando al final de sus investigaciones en 1953 y publicando el resultado de sus trabajos en 1956.[2] He aquí finalmente los ochenta y siete signos de la escritura lineal B tal como fueron presentados por Chadwick (véase la figura 2). El número que acompaña cada sílaba permite seguir ciertos pasajes de lo expuesto aquí abajo: se trata de la numeración de partida gracias a la cual Vendriss había establecido sus redes de combinaciones.

Como se puede comprobar, el camino seguido por Vendriss resulta muy distinto al emprendido por Champollion. Mientras que el francés partía de una hipótesis inicial, como era que los jeroglíficos transcribían el copto, disponiendo, además, por otra parte de textos bilingües, el inglés, que no había podido contar con el apoyo de este tipo de textos, prefirió decantarse por la construcción de un modelo abstracto para llegar a la hipótesis griega: se trata de caminos prácticamente opuestos si bien ambos dan testimonio del ingenio del que hicieron gala los descifradores de escrituras desconocidas.

ESCRITURAS QUE TODAVÍA SE RESISTEN A SER DESCIFRADAS

Pero a los descifradores les queda todavía trabajo por hacer. A lo largo de este libro hemos ido señalando los diferentes problemas relacionados con los procesos de desciframiento: el etrusco, del cual se conoce su sistema gráfico pero no la lengua transcrita, las escrituras del valle del Indo (Harappa y Mohenjo-Daro), de las cuales no se conoce ni el sistema ni la lengua, las inscripciones sobre vasijas provenientes de Susa. A ello habría que añadir las inscripciones de la isla de Pascua, de las que ni siquiera se sabe si se trata verdaderamente de una forma de escritura, y para las cuales se han propuesto las más diversas conjeturas: tanto los aficionados como los especialistas tienen aún con qué mantener viva la llama de su imaginación.

2. Michael Vendriss y John Chadwick, *Documents in Mycenaean Greek*, Cambridge University Press, 1956.

Para terminar, recordaremos dos de los sistemas que aún ponen resistencias: quizá los investigadores tarden todavía, sin duda, muchos años en encontrar las claves del primero, el alfabeto protoelamita de Puzur-Inchuchinak, pero las cosas se complican aún más en el caso del segundo, el disco de Efaistos.

El alfabeto protoelamita

A finales del tercer milenio antes de Cristo, fue elaborada una escritura de la lengua elamita en la ciudad de Susa, cuya utilización, al parecer, no duraría más que el tiempo de un reinado, el del rey Puzur-Inchuchinak, soberano de Awan hacia el año 2200 a.C. Desde luego, cabe preguntarse la razón de la aparición de tal alfabeto, en un momento en que la escritura cuneiforme venía empleándose desde mucho tiempo atrás. En esa región sus habitantes eran por entonces bilingües, hablantes por lo menos de dos lenguas (en la ciudad de Susa se hablaba acadio; y en las tierras altas, elamita). ¿Sería por algún capricho del rey Puzur-Inchuchinak, favorable a la lengua elamita? El caso es que se conocen veintiuna inscripciones con este tipo de escritura, de la cual P. Meriggi ha redactado el listado.[3] He aquí un ejemplo de tal escritura:

Fuente: Louvre Sb 18338.

Ya hemos dicho antes que, cuando no se conoce la lengua transcrita ni el sistema de escritura, el desciframiento resulta prácticamente imposible. Sería necesario un mínimo de inscripciones bilingües. Y los textos en

3. P. Meriggi, *La Scrittura proto-elamica*, 1, Roma, 1971.

elamita de los que disponemos son monolingües. Pero, con todo, algunas intuiciones recientes de dos investigadores[4] podrían hacer avanzar algo la cuestión, y por esta razón saco a colación la historia de esta escritura. La forma de ciertas piedras sobre las cuales se encuentran las inscripciones protoelamitas hace pensar que quizá podían formar parte de una escalinata. Al mismo tiempo, se han encontrado otras piedras con inscripciones en acadio, que tal vez formaron también parte de esa misma escalinata. En tal caso contaríamos con una serie de inscripciones bilingües (de las llamadas «indirectas»), quizás escalonadas de manera alternativa, un escalón con inscripciones en elamita y el siguiente en acadio, pudiendo la parte redactada en acadio arrojar algunas luces y precisar mejor la cronología de la escritura elaborada durante el reinado de Puzur-Inchuchinak.

El disco de Efaistos

El disco de Efaistos, descubierto en 1908 en Creta por un equipo de arqueólogos italianos, se ha convertido en una pieza célebre, cuyas reproducciones fotográficas han dado la vuelta al mundo. Se trata de una placa de arcilla de dieciséis centímetros de diámetro que contiene inscripciones por ambas caras, cuarenta y cinco signos dispuestos en espiral que parecen haber sido «impresos» separadamente unos de otros con ayuda de matrices de madera o metal. Estos signos se combinan entre sí formando grupos separados por barras verticales, grupos que al contemplarse dan la impresión, sin que se cuente para ello con ninguna prueba, de conformar palabras. John Chadwick afirma que resulta difícil creer que fueran elaborados cuarenta y cinco tipos a fin de realizar únicamente una obra,[5] pero el disco de Efaistos sigue siendo por ahora el único ejemplo de utilización de estos grafismos, y no parece que, de momento, dado el estado actual de nuestras investigaciones, esté cercano su desciframiento. En concreto, el hecho de que, como en el caso de la escritura lineal A, no sepamos nada de la lengua transcrita (si es que realmente se trata de una forma de transcripción) deja poco margen para la esperanza. Ningún elemento parece sugerir la menor relación entre tales grafismos y las escrituras lineales cretenses que acabamos de ver, y tampoco contamos con ninguna prueba que garantice que el disco provenga de

4. B. André y M. Salvini, «Réflexions sur Puzur-Inchuchinak», en *Iranica Antiqua*, vol. XXIV, 1989.
5. John Chadwick, *The Decipherment of Linear B*, pág. 20.

Creta: después de todo, podría provenir de cualquier otro lugar y haber llegado como mercadería de navegantes, lo que en definitiva resulta hoy la hipótesis más probable.

A continuación proporcionamos dibujos de ambas caras del disco, tal como fueron publicadas en 1909 por Evans,[6] y la edición fotográfica de los cuarenta y cinco signos catalogada por Jean-Pierre Olivier.[7]

Las dos caras del disco

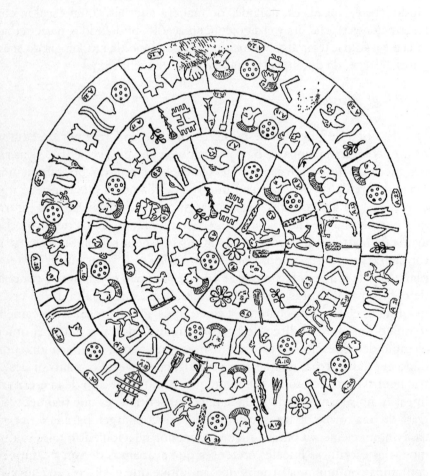

El disco de Efaistos. Cara A.
Fuente: *Scripta Minoa I.*

6. Arthur Evans, *Scripta Minoa I*, 1909.
7. Jean-Pierre Olivier, *Le Disque de Phaïstos*, École française d'Athènes, 1992.

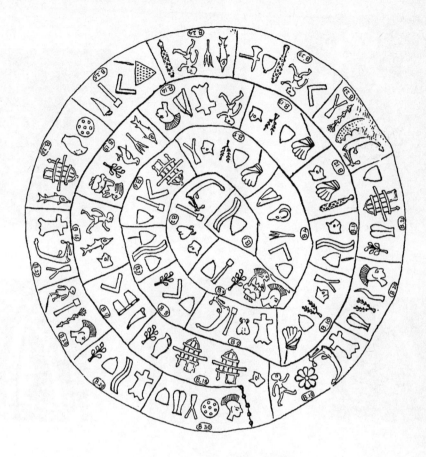

El disco de Efaistos. Cara B.
Fuente: *Scripta Minoa I.*

Los cuarenta y cinco signos del disco

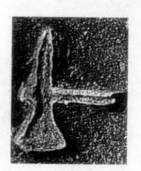

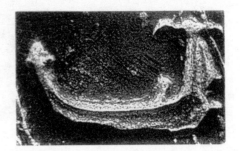

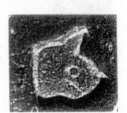

Posfacio

Pretender exponer la historia de las escrituras en un libro de extensión mediana como éste puede parecer una tarea condenada al fracaso. Es cierto que *todas* las escrituras no han podido ser desarrolladas o analizadas aquí con el detalle que quizá merecerían, pero éste no es realmente el asunto. Pienso, sin embargo, que todas ellas han sido presentadas y esbozadas, puesto que hemos abordado todos los principios estructurales característicos de la escritura, desde los pictogramas hasta los sistemas alfabéticos, desde los signos cuneiformes hasta los caracteres chinos, desde los silabarios hasta los sistemas mixtos como, por ejemplo, la escritura maya. Y las relaciones históricas entre estos diferentes principios nos han proporcionado una visión global sobre la aparición y la expansión de esta creación humana. ¿Cuáles podrían ser las conclusiones tras este rápido viaje a través del tiempo?

Primero, que aunque las distintas escrituras del mundo no provengan de un primitivo modelo inicial (con esto quiero decir que no disponemos de ninguna prueba, de ningún indicio, que nos permita suponer algún tipo de vínculo entre la aparición de los signos cuneiformes en Mesopotamia y, por ejemplo, la escritura maya), todos los alfabetos, por el contrario, tienen un origen común. Y la historia de tales alfabetos se reduce a un proceso bastante sencillo: en su origen, tal como hemos visto, se encuentran unos pictogramas que enseguida adquieren valores fonéticos, evolucionando de esta manera hacia una escritura silábica y, por acrofonía, hacia el alfabeto. Desde el punto de vista técnico, esta progresión resulta ser un hecho indiscutible, y nosotros hemos aportado numerosos ejemplos de ella. Disponemos, de esta manera, de una ley general que permite a la vez comprender el pasado, con la que podemos intentar descifrar aquellas escrituras que todavía nos ocultan sus secretos y abordar los problemas contemporáneos propios de la transcripción de lenguas que no cuentan con escritura.

Pero existe otro punto sobre el cual hemos pasado rápidamente y que conviene retomar ahora: ¿qué nos enseña esta historia en relación con las funciones sociales de la escritura? El contenido de las primeras manifestaciones de lo que luego iba a convertirse en escritura (tablillas cuneiformes en Mesopotamia, caparazones de tortugas y omóplatos de bueyes en China, códices aztecas en América Central, etc.) resulta sin duda interesante desde tal punto de vista, pudiéndose afirmar que en sus comienzos la escritura no tuvo por tarea transcribir obras literarias o poesía, sino, más concretamente, llevar la contabilidad (impuestos, contratos, etc.), difundir y conservar los edictos y las leyes, mantener vivo sobre las tumbas al menos el recuerdo de los personajes importantes, teniendo también algún papel en la adivinación, la magia y, más tarde, la religión. Y todo esto nos demuestra que existe un vínculo muy estrecho entre escritura y poder.

Marcel Cohen ha hecho notar que «en conjunto, la escritura propiamente dicha no ha aparecido más que entre los pueblos urbanos, con todo lo que ello conlleva de complejidad, en cuanto a técnicas de construcción de ciudades, de transportes y de relaciones sociales en general»,[1] resultando fundamental este primigenio rasgo *ciudadano* de la escritura, pues en las ciudades es donde más habitualmente se concentra el poder. Será necesario entonces comprender que las funciones encomendadas a la escritura tuvieron en un primer momento un carácter extremadamente práctico, ligadas a lo que llegará a ser la gestión de los futuros Estados. Fue mucho más tarde cuando la escritura pasó a ocuparse de esas otras funciones que tenemos en mente en la actualidad, reemplazando en especial a la tradición oral con tal de conservar mejor la memoria social, tanto en lo que se refiere a su aspecto estético (epopeyas, poesía, etc.) como a

1. Marcel Cohen, *Matériaux pour une sociologie du langage*, t. 1, París, 1971, pág. 70.

su aspecto tecnológico (transmisión de saberes, de técnicas, etc.). Y semejante relación entre escritura y poder nos lleva a la cuestión del estatuto social de aquellos que disfrutaban de sus privilegios. Jean-Marie Durand escribe, a propósito de los signos cuneiformes:

> Jamás esta escritura, por lo que parece, llegó a ser «popular» en el sentido etimológico del término: permaneció siempre en manos de grupos restringidos de especialistas, pues el sistema resultaba harto complicado, difícilmente manejable, y su aprendizaje exigía un tiempo más que considerable.[2]

Pero este punto de vista, que por otra parte también comparto, resulta quizás técnico en exceso, existiendo otra explicación para esta fuerte restricción del conocimiento de la escritura: la voluntad de mantener en grupos cerrados el poder por ella conferido. Por un lado, es cierto que los primeros sistemas escriturales (signos cuneiformes, jeroglíficos) exigían un largo aprendizaje, otorgando su conocimiento al mismo tiempo poder y prestigio, razón por la cual se encontraban al alcance solamente de ciertas clases sociales. Pero, por otro lado, aquellos que poseían tal poder querían conservarlo a cualquier precio, por lo que no podían más que oponerse a cualquier tipo de reforma de la escritura, al menor intento de democratización, ya fuera éste de carácter formal (como por ejemplo la que afecta a su simplificación) o relativo a su difusión (como por ejemplo la escolarización).

Y esto no sólo es un problema propio de las escrituras de hace 4.000 años. Las actuales políticas lingüísticas, en el momento de ser aplicadas a la escritura, nos demuestran también que tras el problema, en apariencia exclusivamente técnico, de la transcripción de las lenguas se inmiscuyen otros aspectos de orden muy distinto. Éste es, por ejemplo, el caso de la antigua Unión Soviética, en donde al pasarse las lenguas extranjeras a caracteres cirílicos, después de reformas sucesivas (que incluyeron el alfabeto latino), salen a la luz, a nivel semiológico, determinados aspectos del imperialismo ruso. O el de la China Popular, en donde el proceso de simplificación de ciertos caracteres hizo patente el objetivo de democratizar el acceso a la escritura. O por último, el del continente africano, algunos de cuyos países han querido imponer el alfabeto latino de la misma manera en que se impusieron las antiguas lenguas coloniales, percibiéndose también aquí la manifestación semiológica de eso que en otra parte he deno-

2. Jean-Marie Durand, «Diffusion et pratique des écritures cunéiformes au Proche-Orient ancien», en *L'Espace et la Lettre*, París, Unión générale d'Édition, 1977, pág. 15.

minado la glotofagia.[3] De este modo, la misma forma de las escrituras puede prestarse al análisis histórico, al cual estaba dedicado este libro, pero también al análisis social. La escritura, nacida de las necesidades de los poderes civiles o de los poderes religiosos, enseguida se convertiría en una apuesta del poder, y hasta cierto punto continúa siéndolo en la actualidad.

Esta proposición debe ser, no obstante, matizada. Claude Lévi-Strauss, en uno de los capítulos de *Tristes trópicos*, «La lección de escritura», explica a propósito de los nambikwara que «al acceder al saber encerrado en las bibliotecas, estos pueblos se hacen vulnerables a las mentiras que los documentos impresos propagan a veces en proporciones todavía mayores».[4] Es difícil seguirle en este punto y admitir con él que cuanto menos sepan leer y escribir los hombres mejor será su comportamiento. Jacques Derrida ha expresado sobre este pasaje juicios severos:

> En este texto, Lévi-Strauss no establece la menor diferencia entre jerarquía y dominio, entre autoridad política y explotación. El tono que predomina en esta reflexión es la de un cierto anarquismo que confunde deliberadamente ley y opresión.[5]

Sin querer entrar en polémicas, es necesario admitir que si la escritura fue y sigue siendo uno de los instrumentos del poder, ello no debe comportar obligatoriamente su crítica, sino en todo caso la de algunos de sus usos.

Todavía una última cuestión. He intentado a lo largo de este libro, en la medida de lo posible, seguir un orden cronológico en vez de dinamizarlo con el estudio del alfabeto, tal como algunos amigos me habían sugerido. Esta elección resulta para mí importante, pues si el alfabeto puede parecernos, a ojos de los occidentales, la más acabada manifestación de la escritura, no por eso deja de constituir tan sólo una de sus formas: los alfabetos (y es necesario insistir de nuevo sobre este plural) no suponen en modo alguno la forma más perfecta de escritura. Siguiendo el hilo de la historia, uno se da cuenta de que en el momento en que Europa daba los últimos retoques al alfabeto heredado de Mesopotamia, los mayas ela-

3. Louis-Jean Calvet, *Linguistique et Colonialisme, petit traité de glottophagie*, París, Payot, 1974.

4. Claude Lévi-Strauss, *Tristes Tropiques*, París, Plon, 1955, pág. 345 (trad. cast.: *Tristes trópicos*, Barcelona, Paidós, 1997).

5. Jacques Derrida, *De la grammatologie*, París, 1967, pág. 191.

boraban un sistema que a nosotros puede parecernos complejo, que el lingüista encuentra poco preciso y que quien no está familiarizado con él encuentra, justamente, difícil de aprender. Pero la historia sigue siendo la historia, y la enorme riqueza de la creatividad humana se manifiesta también por medio de esta pluralidad de soluciones aportadas al desafío constituido por la fugacidad de la palabra. El hombre sintió desde bien pronto la necesidad de retener el lenguaje oral recurriendo a medios gráficos. Para ello ingenió diferentes soluciones que se apoyan, todas ellas, sobre el mismo principio: acercar el carácter pictórico al gestual, es decir, poner los trazos gráficos al servicio de esas palabras que se desvanecen. Que tal principio haya supuesto el nacimiento de distintas formas de escritura no le concede a ninguna de ellas primacía sobre las demás. Y la historia de las escrituras nos demuestra que, frente al problema de conservar los mensajes, no existe ninguna solución previa, definitiva y perfecta. La memoria de las sociedades es capaz de conservarse gracias a diferentes soluciones que hemos ido presentando a lo largo de este libro, aunque también podrá serlo, el día de mañana, de otros modos, gracias a otras nuevas tecnologías que situarán cuanto aquí se ha presentado en un hipotético museo de antigüedades.

Cronología

El carácter de esta cronología resulta, claro está, muy aproximativo, siendo tarea imposible datar con precisión el momento en que surgen las escrituras; cuanto más lejos están en el tiempo, más hay que recurrir a la mera conjetura para establecer sus fechas de aparición.

aprox. 30000 a.C   Manos en negativo, que tal vez sean expresión de una escritura basada en el gesto.

aprox. 4000 a.C.   Inscripciones sobre vasijas en la región de Susa.

aprox. 3300 a.C.   Aparición de la escritura pictográfica en el sur de Mesopotamia.

aprox. 3100 a.C.   Aparición de la escritura egipcia.

aprox. 2700 a.C.   Números cuneiformes sumerios.

aprox. 2500 a.C.   La escritura cuneiforme reemplaza a la protoelamita de Susa.

2300 a.C.	Escritura protoindia del valle del Indo.
aprox. 2200 a.C.	Alfabeto elamita de Puzur-Inchuchinak.
2000 a.C.	Caída de la capital sumeria, Ur. Desde ese momento, predomina el acadio en toda la región con funciones de lengua internacional.
1600 a.C.	Alfabeto protosinaico. Escritura lineal A.
1300 a.C	Alfabeto ugarítico de Ras-Shamra. Primeros pictogramas chinos.
1000 a.C.	Alfabeto consonántico fenicio. Alfabeto arameo, alfabeto paleohebraico.
	El arameo pasa a ser lengua vehicular, extendiéndose su alfabeto.
s. VIII a.C.	Alfabeto griego, alfabeto etrusco. Alfabetos itálicos.
s. VI a.C.	Alfabeto latino.
s. III a.C.	Escritura kharosthi, escritura brahmí.
s. II a.C.	Hebreo clásico.
s. I a.C.- s. I d.C.	Fijación definitiva de la escritura china.
s. I d.C.	Aparición de las primeras runas.
s. III	Alfabeto copto, aparición de la escritura maya.
¿aprox. s. IV?	La escritura china se extiende por Corea. Alfabeto gupta.
s. IV	Alfabeto godo. Alfabeto árabe.
¿aprox. s. V?	La escritura china llega a Japón, escritura ogámica.

s. V   Alfabetos armenio y georgiano.

s. VII   Escritura tibetana.

s. VIII   Escritura nagarí.

s. IX   Escritura glagolítica, más tarde cirílica.

s.IX   Escritura nepalí.

1443   Creación del alfabeto coreano.

Glosario

A lo largo de este libro he intentado escribir con la mayor claridad posible, y espero haberlo conseguido. Con todo, era difícil evitar, sin que la simplificación acabara por afectar al texto, algunos términos de carácter técnico, cuya definición se ofrece a continuación.

Acrofonía: conservar únicamente el sonido inicial de una sílaba o de una palabra; es el caso, por ejemplo, de conservar sólo la *c* de *cajón*. Siguiendo esta regla, progresivamente los pictogramas fueron haciendo notación del sonido inicial de la cosa que designaban. Por ejemplo, es como si en español el dibujo de un balón, que representa un balón, acabara finalmente por representar sólo el sonido *b*. Al parecer, el origen de todos los alfabetos es acrofónico. Véanse las páginas 60 y siguientes, y 74 y siguientes.

Alfabeto: sistema de escritura en el cual un signo gráfico equivale a un sonido (o, en ocasiones, a varios sonidos). Sin duda, todos los alfabetos han evolucionado a partir de uno inicial, aparecido en Mesopotamia. Véanse los capítulos 6, 7 y 9.

Alógrafos: se puede hablar de alógrafos cuando diferentes signos gráficos sirven para hacen notación del mismo valor fonético. Se encuentran por ejemplo alógrafos en la escritura maya, pero también en las distintas grafías de una misma letra: b, B, **b**, **b**, *b*, B, etc.

Cuneiforme: sistema gráfico aparecido en Mesopotamia, cuyo principio consistía en imprimir «cuñas» (*cuneus* en latín) en la arcilla con ayuda de una caña tallada. Véanse las páginas 43 y sigs.

Demótica: la escritura egipcia demótica («popular») sería similar a la forma simplificada de la escritura cursiva hierática. Véanse las páginas 76 y sigs.

Diacrítico: el signo diacrítico es el que se añade por encima o debajo de una letra, como por ejemplo los acentos en español o la notación de las vocales breves en árabe.

Ergativo: el ergativo es un caso que, en determinadas lenguas, corresponde al agente de un proceso (expresado en la mayoría de las lenguas que cuentan con declinaciones por el acusativo).

Escritura silábica: es aquella escritura que transcribe las palabras utilizando un signo por cada sílaba.

Fonema: este término designa la menor unidad lingüística que sirve para distinguir monemas (o morfemas). Por ejemplo, los monemas *paño* y *baño* se distinguen semánticamente por los fonemas *p* y *b*.

Fonograma: signo que indica el modo de pronunciación, como las letras de los alfabetos.

Glifo: en general, un glifo es un signo grabado. El término es utilizado principalmente a propósito de la escritura maya. Véase el capítulo 8.

Hierática: la escritura egipcia hierática es similar a la forma cursiva simplificada de los jeroglíficos utilizada por los sacerdotes. Véanse las páginas 76 y sigs.

Ideogramas: pictogramas constituidos en sistema. Por ejemplo, los «ideogramas chinos». Véanse las páginas 85 y sigs.

Jeroglífico: el término jeroglífico, utilizado únicamente en relación con la escritura egipcia, está formado por dos raíces griegas que significan «inscripciones sagradas». La palabra no tiene ningún carácter técnico, y de hecho los jeroglíficos son ideogramas. Véanse las páginas 67 y sigs.

Lengua aglutinante: es la lengua que acumula tras la raíz de la palabra numerosos afijos con los que se señalan las relaciones gramaticales. El vasco o el turco son, por ejemplo, lenguas aglutinantes. Por el contrario, se denominan lenguas flexionales aquellas que, como el latín, añaden a la raíz una única señal no separable.

Ligadura: la ligadura consiste en escribir ligando dos letras sucesivas, como por ejemplo æ, œ, etc.

Logograma: signo gráfico que representa una palabra sin ofrecer indicación

alguna sobre su pronunciación, contrariamente al fonograma. Una escritura logográfica transcribe signos completos (y no sonidos o sílabas), es decir,
comporta tantos signos gráficos diferentes como palabras existen en la lengua. Tal sistema resulta evidentemente poco práctico, encontrándose en especial en escrituras que combinan el sistema logográfico y el sistema silábico (como el chino).

Manos en negativo: técnica prehistórica que consiste en «imprimir» una
mano sobre una pared pulverizando a su alrededor algún tipo de pigmento. Véase el capítulo 1.

Monema, morfema: ambos términos designan, en dos teorías diferentes, la
menor unidad lingüística portadora de sentido.

Pictograma: dibujo que representa un objeto o una idea sin que la forma
fónica (la pronunciación) de tal objeto o de esa idea se deba tener en
cuenta. Un pictograma puede, por lo tanto, ser «leído» en cualquier lengua. Véanse las páginas 45 y sigs.

Retroflexo: un fonema retroflexo se pronuncia aproximando el reverso de
la punta de la lengua al paladar. Se puede denominar igualmente cacumi-
nal o cerebral. ·

Bibliografía

Alleton, Viviane, *L'écriture chinoise*, París, PUF, 1970.

André-Salvini, Béatrice, «Babel, mythe ou réalité?», en *Corps écrit*, n° 36, París, PUF 1990.

André, B. y M. Salvini, «Réflexions sur Puzur-Inchuchinak», *Iranica Antiqua*, vol. XXIV, 1989.

Andrews, Carol, *The Rosetta Stone*, Londres, 1981.

Barrière, Claude, Michel Sueres, «Les mains de Gargas», en *Dossiers d'archéologie*, n° 178, enero de 1993, pág. 54.

Bloomfield, Leonard, *Language*, Londres, 1935, capítulo 17, «Written records».

Bonfante, Larissa, John Chadwick, B.-F. Cook, W. V. Davies, John Healey, J. T. Hooker y C. B. T. Walker, *La naissance des écritures*, París, Le Seuil, 1994.

Bottero, Jean, *Mésopotamie, l'écriture, la raison et les dieux*, París, Gallimard, 1987.

—, «L'écriture et la formation de l'intelligence en Mésopotamie ancienne», en *Le Débat*, n° 62, noviembre-diciembre de 1990.

Boyer, Régis, *Les vikings*, París, Plon, 1992.

Bricker, Victoria, *A Grammar of Mayan Hieroglyphs*, Tulane University, Nueva Orleans, 1986.

Calvet, Louis-Jean, *Linguistique et Colonialisme, petit traité de glottophagie*, París, Payot, 1974.

—, *Les langues véhiculaires*, París, PUF, 1981.

—, *La tradition orale*, París, PUF, 1984.

—, *La guerre des langues et les politiques linguistiques*, París, Payot, 1987.

Chadwick, J., *The Decipherment of Linear B*, Cambridge, 1958.

Champollion, Jean-François, *Grammaire égyptienne, ou principes géné-
raux de l'écriture sacrée égyptienne appliqués à la représentation de la langue parlée*, París, 1836, reedición, 1984 (trad. cast.: *Principios generales
de la escritura sacra egipcia*, Valencia, Lepsius, 1992).

Cheng, François, *L'écriture poétique chinoise*, París, Seuil, 1984.

Clottes, Jean y Jean Courtin, *La grotte Cosquer*, París, Seuil, 1994.

Codex Mendoza, manuscrito azteca actualmente en la Biblioteca bod-
léienne de Oxford.

Coe, Michael, *Breaking the Maya Code*, Nueva York, Thames and Hudson, 1992.

Cohen, Marcel, *L'écriture*, París, 1953.

—, *La grande invention de l'écriture et son évolution*, 3 tomos, París, 1958.

—, *Matériaux pour une sociologie du langage*, tomo 1, París, 1971 (trad.
cast.: *Manual para una sociología del lenguaje*, Madrid, Fundamentos,
1974).

Coyaud, Maurice, *Langues et écritures en Chine et alentour*, UER de linguistique de l'université René-Descartes, París, 1984.

Dalby, David, *L'Afrique et la lettre*, París, Karthala, 1986.

Davoust, Michel, «Le déchiffrement de l'écriture maya depuis 1960»,
Histoire Epistémologie Langage, vol. VIII, n° 1, 1986.

De Landa, fray Diego, *Relación de las cosas de Yucatán* [1560], México,
1986.

De Saussure, Ferdinand, *Cours de linguistique générale*, París, Payot
(trad. cast.: *Curso de lingüística general*, Madrid, Alianza, 1998).

Derrida, Jaques, *De la grammatologie*, París, 1967.

Dillman, François-Xavier, *Les runes*, tesis, Université de Rouen, 1976.

Diringer, David, *The Alphabet: a Key to the history of mankind*, Londres,
3ª ed., 1968.

—, *Writing*, Londres, 1962.

Doblhofer, E., *Le déchiffrement des écritures*, París 1959.

Dollfus, G. y Encrevé, P., «Marques sur poteries dans la Susiane du Vᵉ millénaire, réflexions et comparaisons», en *Paléorient*, vol. 8, n° 1, 1982.

Du Bourguet, Pierre, *Grammaire égyptienne*, Louvain, 1980.

Dumézil, Georges, «La tradition druidique et l'écriture: le vivant et le mort», en *Revue de l'histoire des religions*, n° CXXII, 1940.

Durand, Jean-Marie, «Diffusion et pratique des écritures cunéiformes au Proche-Orient ancien», en *L'Espace et la lettre*, 1977.

Evans, Arthur, *Scripta minoa* I, 1909.

Fazzioli, Edoardo, *Caractères chinois*, París, Flammarion, 1986.

Février, James, *Histoire de l'écriture*, París, Payot, 1948.

Fishman, Joshua (bajo la dirección de), *Advances in the Creation and Revision of Writing System*, La Haya, 1977.

Galtier, Gérard, «Un exemple d'écriture traditionnelle mandingue, le Masaba des Bambara-Masasi du Mali», en *Journal des africanistes*, París, 1987.

Gaur, Albertine, *A History of Writing*, Londres, 1984.

Gelb, I. J., *A Study of Writing. The Foundations of Grammatology*, Chicago, 1952 (trad. fr.: *Pour une théorie de l'écriture*, París, Flammarion, 1973).

Goody, J., *La raison graphique*, París, 1979.

—, *La logique et l'écriture*, París, 1986 (trad. cast.: *La lógica de la escritura y la organización de la sociedad*, Madrid, Alianza, 1990).

Grandsaignes d'Hauterive, R., *Dictionnaire des racines des langues indo-européennes*, París, Larousse, 1949.

Griaule, Marcel y Germaine Dieterlin, «Signes graphiques soudanais», en *L'homme*, 1951, pág. 3.

Harris, Roy, *The Origin of Writing*, Londres, Duckwoth, 1986.

Haudricourt, André, «La réforme de l'écriture chinoise et le problème de la langue nationale», en *La pensée*, n° 69, París, 1956.

Ifrah, Georges, *Histoire universelle des chiffres*, París, Seghers, 1981 (trad. cast.: *Historia universal de las cifras*, 3ª ed., Madrid, Espasa-Calpe, 1998).

Imbelloni, J., «Las tabletas parlantes de Pascua», en *Runa*, Buenos Aires, vol. 14, 1951.

Irwin, C., *The Romance of Writing*, Nueva York, 1956.

Jansson, Sven, *Runes in Sweden*, Värnamo, 1986.

Jean, Georges, *L'écriture mémoire des hommes*, París, Gallimard, 1987 (trad. cast.: *La escritura, archivo de la memoria*, 2ª ed., Madrid, Aguilar, 1990).

Katan Norma, Jean, *Hieroglyphs, the writing of ancient Egypt*, Londres, 1980.

Kramer, Samuel Noah, *L'histoire commence à Sumer*, París, Arthaud, 1957, edición revisada y corregida, 1975 (trad. cast.: *La historia comienza en Sumer*, 3ª ed., Barcelona, Ayma, 1978).

Ladrón de Guevara, Sara, «Le symbole de la main en méso-Amérique pré-colombienne», en *Dossiers d'archéologie*, n° 178, enero de 1993, pág. 74.

Leroi-Gourhan, André, *Le geste et la parole*, París, Albin Michel, 1964.

—, *Le fil du temps*, París, Fayard, 1983.

Lévi-Strauss, Claude, *Tristes tropiques*, París, 1955, capítulo «La leçon d'écriture» (trad. cast.: *Tristes trópicos*, Barcelona, Paidós, 1997).

Lévi-Strauss y Didier Eribon, *De près et de loin*, París, Odile Jacob, 1988 (trad. cast.: *De cerca y de lejos*, Madrid, Alianza, 1990).

Lindqvist, Cecilia, *Tecknens Rike, en berättelse om kineserna och deras skrivtecken*, Bonniers, Estocolmo, 1989.

Lu Xun, *Sur la langue et l'écriture chinoises*, París, 1979.

Macazaga, Ordono César, *Nombres geográficos de México*, México, 1979.

—, *Diccionario de antropología mesoamericana*, 2 tomos, México, Innovación, 1984.

Massoudy, H., *La calligraphie arabe vivante*, París, 1981.

Meriggi, P., *La scrittura proto-elamica*, I, Roma, 1971.

Métraux, Alfred, *L'île de Pâques*, París, 1941 (trad. cast.: *La isla de Pascua*, Barcelona, Laertes, 1995).

Moorhouse, A. C., *Writing and the Alphabet*, Londres, 1946.

Moussay, Gérard, «La langue minangkabau», *Cahiers d'archipiel*, n° 14, París, 1981.

Muller, André, *Les écritures secrètes*, París, PUF, 1971.

Naissance de l'écriture, catalogue de l'exposition du même nom, París, Ministère de la Culture, 1982.

Naveh, Joseph, *Early history of the alphabet*, Jerusalén, 1982.

Olivier, Jean-Pierre, *Le disque de Phaistos*, École française d'Athènes, 1992.

Pope, M., *The Story of Decipherment*, Londres, 1975.

Potts, D., «The potter's marks of Tepe Yahya», en *Paléorient*, vol. 7, n° 1, 1981.

Quivron, G., «Les marques incisées sur les poteries de Mehrgarh au Baluchistan, du milieu du IVe millénaire», en *Paléorient*, vol. 6, n° 1, 1980.

Rousseau, J.-J., *Essai sur l'origine de l'homme* (trad. cast.: *Discurso sobre el origen y fundamentos de desigualdad entre hombres*, Barcelona, Alba, 1996).

Runstenar i Södermanland, Södermanlands Museum, Nyköping, 1984.

Ryjik, Kyrik, *L'idiot chinois, initiation à la lecture des caractères chinois*, París, 1980.

Safadi, Yasin, *Islamic Calligraphy*, Londres, 1978.

Sampson, Geoffrey, *Writing Systems*, Stanford University Press, Stanford, 1985 (trad. cast.: *Sistemas de escritura: introducción lingüística*, Barcelona, Gedisa, 1997).

Schele, Linda, *Maya Glyphs, the Verbs*, Austin, Texas, 1982.

Segert, Stanislav, «Decipherment of forgotten writing systems: two diffe-
    rent approaches», en Florian Coulmas y Konrad Ehlich (comps.), *Wri-
    ting in Focus*, Berlín, Nueva York, Amsterdam, Mouton, 1983.

Sirk, U. H., «La langue bugis», *Cahiers de l'archipel*, n° 10, trad. del ruso,
    París, 1979.

Soravia, Giulio, *Storia del linguaggio*, Milán, Garzanti, 1976.

Sznycer, Maurice, «L'origine de l'alphabet sémitique», en *L'espace et la
    lettre*, París, Union générale d'édition, 1977.

Tardos, René, «Les mains mutilées: étude critique des hypothèses patho-
    logiques», en *Dossiers d'archéologie*, n° 178, enero de 1993, pág. 55.

Thompson, J. Eric, *Maya hieroglyphic writing: introduction*, Washington,
    1950.

—, *A catalog of Maya Hieroglyphs*, Norman, University of Oklahoma
    Press, 1962.

—, *Maya hieroglyph without tears*, Londres, 1972.

Thual, François, «Alphabets et religion», en *Colloque sur les langues dans
    l'Eglise*, París, 12 de abril de 1986.

Trager, George, «Writing and Writing Systems», en *Current Trends in
    Linguistics*, vol. 12, Mouton, 1974.

Vendryes, J., *Le langage*, 5ª parte, «L'écriture», París, 1921.

Vendriss, Michael y John Chadwick, *Documents in Mycenaean Greek*,
    Cambridge University Press, 1956.

Índice analítico y de nombres